Le GARDIEN DES RÊVES

GREG GRUNBERG et LUCAS TURNBLOOM

MISE EN COULEURS DE GUY MAJOR

TEXTE FRANÇAIS D'ISABELLE ALLARD

TOME 1

PRISONNIERS DU CAUCHEMAR

Avec tout mon amour, pour ma merveilleuse femme, Elizabeth, et mes trois formidables fils dont les petits cauchemars au fil des ans ont inspiré ce livre.
—Greg

À ma femme Suzanne, pour son amour, ses encouragements et sa patience. À mes deux petits garçons, pour leur inspiration. Et à mes parents, mon frère et ma sœur, pour leur soutien.
—Lucas

Catalogage avant publication de Bibliothèque et Archives Canada

Grunberg, Greg
[Nightmare escape. Français]
Prisonniers du cauchemar / Greg Grunberg ; Lucas Turnbloom, illustrateur; texte français d'Isabelle Allard.

(Le gardien des rêves ; 1)
Traduction de : Nightmare escape.
ISBN 978-1-4431-6020-9 (couverture souple)

1. Romans graphiques. I. Turnbloom, Lucas P., illustrateur II. Titre. III. Titre: Nightmare escape. Français.

PZ23.7.G78Pr 2017 j741.5'973 C2016-907501-X

Édition publiée par les Éditions Scholastic, 604, rue King Ouest, Toronto (Ontario) M5V 1E1 CANADA.

5 4 3 2 1 Imprimé en Chine 62 17 18 19 20 21

Conception graphique du livre : Phil Falco
Directeur artistique : David Saylor

PRÉFACE DE J.J. ABRAMS

Les rêves sont un miracle quotidien.
Nous sommes tous transportés, dès que nous sombrons dans le sommeil, vers un autre monde. Un endroit que nous ne choisissons pas, avec des confrontations que nous ne pouvons pas prédire. Nous vivons à une époque avancée sur le plan technologique, mais personne ne sait comment fonctionnent les rêves, pourquoi ils surviennent et ce qu'ils signifient.
Un rêve peut éclairer, amuser, troubler ou terrifier. Certains font des rêves plus saisissants ou parviennent plus facilement à s'en remémorer les détails, mais nous sommes tous vulnérables aux caprices de notre subconscient.
Où nos rêves nous emporteront-ils ce soir? Comment y réagirons-nous? Tiendrons-nous le coup? Après tout, les rêves peuvent devenir des cauchemars.
Dans ce livre stimulant et débordant d'imagination, Greg Grunberg et Lucas Turnbloom explorent les possibilités de ce miracle quotidien. Ce faisant, ils créent un nouveau héros : le gardien des rêves. Je ne veux pas gâcher la surprise (le fait que vous ayez ce livre entre les mains indique que vous avez l'intention de le lire), mais je peux vous affirmer que c'est toute une aventure. Je suis particulièrement emballé parce que je connais Greg depuis longtemps. Plus longtemps que je ne veux l'admettre. Assez longtemps pour me souvenir avoir été en première année avec lui, quand nous commandions des livres de Scholastic ensemble. Maintenant, il vient d'en écrire un lui-même, et je suis heureux pour Lucas et lui. Et pour vous, puisque vous allez plonger dans un monde d'aventures et de découvertes où, comme dans les rêves, tout est possible.
Bonne lecture!

J.J. Abrams est le réalisateur de *Star Wars : Le réveil de la force*. Il est également un producteur, réalisateur et auteur connu pour l'émission *Lost*, le film *Mission impossible 3* et la récente série de films *Star Trek*.

HEIN?
OÙ SUIS-JE?

ALLÔ!
IL Y A
QUELQU'UN?

HUM, BONJOUR.

À L'ATTAQUE!
À PLUS!

BEN!
QU'EST-CE QUI
T'A PRIS
SI LONGTEMPS!
JAKE?!
C'EST **TOI?! QUE**
SE PASSE-T-IL?!

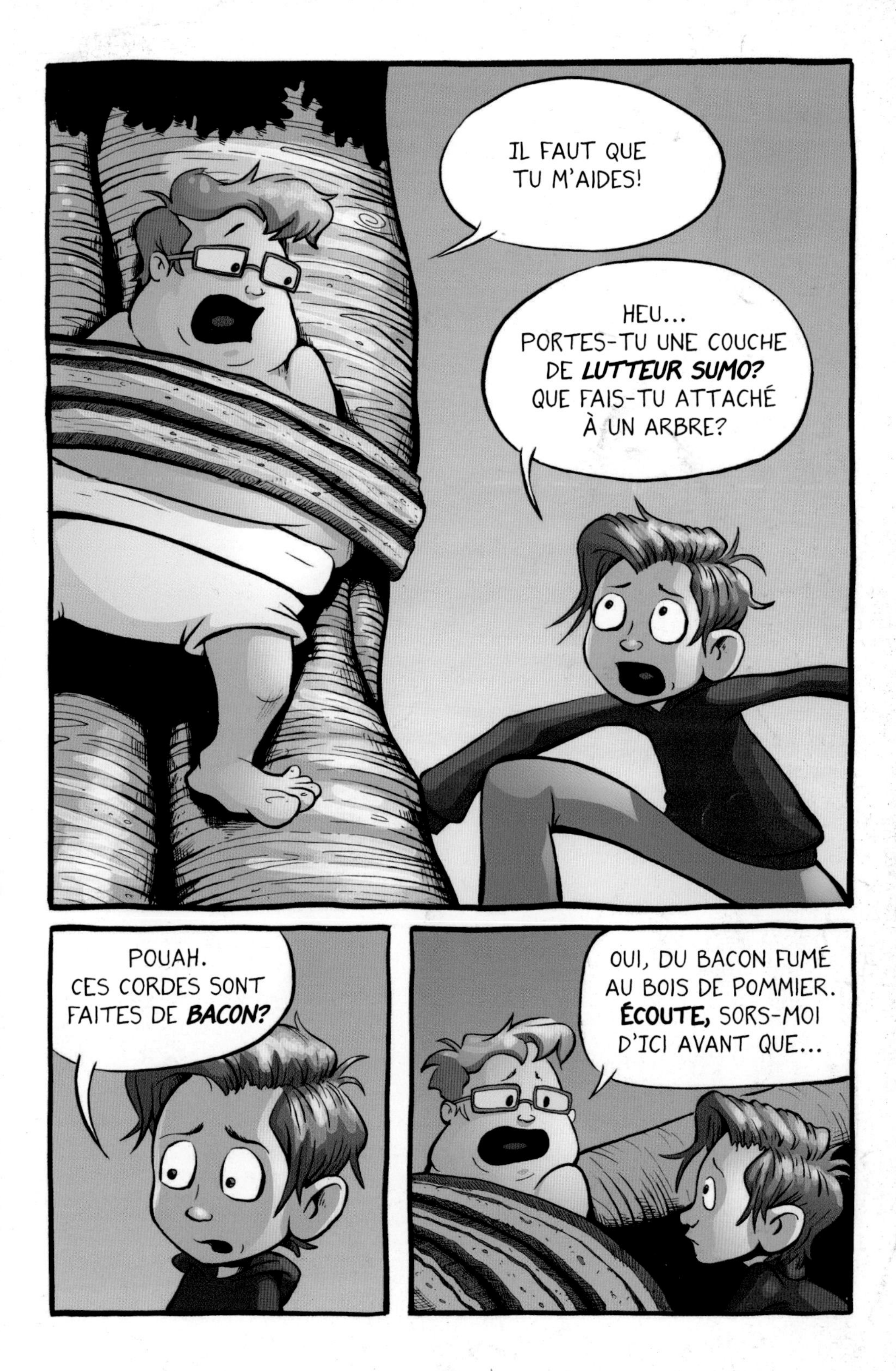
IL FAUT QUE TU M'AIDES!
HEU... PORTES-TU UNE COUCHE DE **LUTTEUR SUMO?** QUE FAIS-TU ATTACHÉ À UN ARBRE?
POUAH. CES CORDES SONT FAITES DE **BACON?**
OUI, DU BACON FUMÉ AU BOIS DE POMMIER. **ÉCOUTE,** SORS-MOI D'ICI AVANT QUE...

ATTENTION!

OH, MAUVAISE DÉCISION.
MIAM MIAM. OUI. C'EST **BIEN** DU BACON FUMÉ AU BOIS DE POMMIER.

VLAM

QU'EST-CE...
?

ÇA, C'EST UN TRUC QU'ON NE VOIT PAS TOUS LES JOURS...
HEIN?!

UN INSTANT! HÉ! JE TE CONNAIS, JE CROIS.

SAIS-TU CE QUI SE PASSE? ET SURTOUT, PEUX-TU ME MONTRER COMMENT SORTIR D'ICI?
JE **SAVAIS** QUE TU FERAIS ÇA.

PFFF
C'EST REPARTI.

POURQUOI
JE FAIS ÇA?

POURQUOI JE FAIS ÇA? POURQUOI...
HEU, ALLÔ?

CHLOÉ, ÉCOUTE! IL Y A QUELQU'UN! AIDEZ-NOUS!
IL EST TROP TARD, MALCOLM. ET TOI, SAUVE-TOI AVANT QU'IL REVIENNE!
QUI?
OH!
FOUM!
TOUM!

FWOUF
OH!

GRRRR!
TOUM
SALUT!

VLAM!

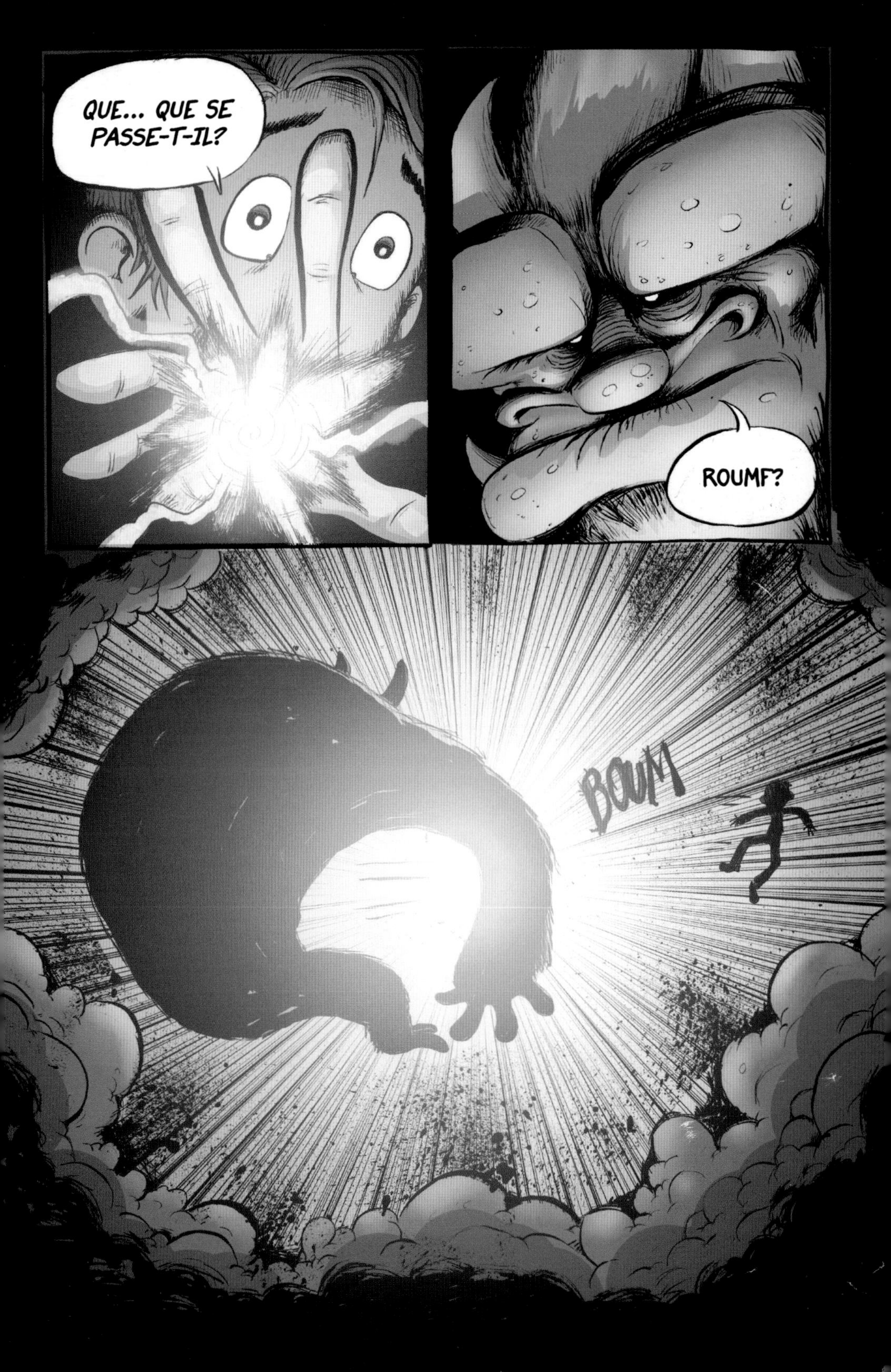
QUE... QUE SE PASSE-T-IL?
ROUMF?
BOUM

AHHH!
UN CAUCHEMAR.
LA
GULP

CLIC

TAC
QUE SE PASSE-T-IL?
RÊVE N°17
QUI ÊTES-VOUS DONC?

BONJOUR, MON CHÉRI. AS-TU...
BIEN DORMI?
SCRICH
SPLACH
OUF!

SI BIEN QUE ÇA?
UNE SERVIETTE S'IL TE PLAÎT.
ÉCOUTE, BEN...
JE SAIS QUE TU DÉTESTES ALLER CHEZ LE MÉDECIN, MAIS JE VEUX QUE TU CONSULTES LE DR ALEXSON. C'EST LE MEILLEUR SPÉCIALISTE DU SOMMEIL DU PAYS.
JE VAIS BIEN, MAMAN!
NON! TU ÉCHOUES À L'ÉCOLE PARCE QUE TU ES ÉPUISÉ.
MAMAN, TU CONNAIS MES PROFS. C'EST UN MIRACLE QUE JE RESTE ÉVEILLÉ!

SOIS SÉRIEUX, **S'IL TE PLAÎT.**
JE LE SUIS! LE COURS DE MATHS DE M. RACINE? **SOPORIFIQUE!** IL A ENVIRON 136 ANS. ON DIT QU'IL EST CLINIQUEMENT MORT.
IL NE S'AGIT PAS SEULEMENT DE L'ÉCOLE.
VOYONS, MAMAN. TOUT LE MONDE A DE DRÔLES DE RÊVES DE TEMPS À AUTRE.
PAS TOUTES LES NUITS.
DANS L'HISTOIRE DU MONDE, C'EST **SÛREMENT** DÉJÀ ARRIVÉ.
TU AS RAISON. C'EST ARRIVÉ À TON PÈRE.
JUSTE AVANT...

JE M'EN FICHE S'IL AVAIT DES PROBLÈMES DE SOMMEIL! CE N'EST PAS COMME SI JE L'AVAIS CONNU.
EST-CE MA FAUTE SI TON PÈRE EST PARTI, BEN?
ET LA QUESTION N'EST PAS LÀ. JE VEUX QUE TU OBTIENNES DE L'AIDE AVANT...
AVANT QUOI?! ALLONS, MAMAN. TU NE VEUX JAMAIS EN PARLER. ON NE PARLE JAMAIS DE PAPA!
BEN, JE VAIS T'EMMENER À LA CLINIQUE DU SOMMEIL VENDREDI APRÈS L'ÉCOLE. FIN DE LA DISCUSSION.
D'ACCORD!

BAM!
JE T'AIME AUSSI.

BEN!
HÉ,
BEN!!

BEN!
HÉ, BEN!
ATTENDS!
HÉ,
RALENTIS!
J'AI DES
PETITES
JAMBES!
OH, REGARDE,
C'EST KAYLEE WU!

HEIN? QUOI?
OH, SALUT, JAKE.
C'EST SUPER.
QUOI?
TU T'ARRÊTES EN ENTENDANT LE NOM DE TA PETITE AMIE...
MAIS TU NE T'ARRÊTES PAS POUR TON MEILLEUR AMI?
KAYLEE N'EST PAS MA PETITE AMIE.
PFFF! SI TU LE DIS.

MERCI DE TON AIDE, JAKE.
C'EST À ÇA QUE SERT UN AMI.
EN PARLANT D'AIDE, JE VEUX TE REMERCIER.
DE QUOI?
HIER SOIR. DANS MON RÊVE? POUR AVOIR COMBATTU CETTE VERSION MONSTRE DE M. RACINE. TU ÉTAIS SUPER!
OH, ÇA. DE RIEN. QUEL EST TON PROBLÈME AVEC LUI?
IL ME ***TERRIFIE.*** HEUREUSEMENT QUE TU L'AS VAINCU. C'ÉTAIT GÉNIAL.
PEUT-ON CHANGER DE SUJET? CE TRUC DE RÊVES... ÇA ME MET MAL À L'AISE.
BEN, JE CROIS QUE TU NE COMPRENDS PAS. TU ES COMME UN SUPERHÉROS DES CAUCHEMARS!

C'EST UN DON, MON AMI! UN DON *LUCRATIF!*
SALUT, BEN!
SA-SALUT, KAYLEE.
ON POURRAIT CRÉER UNE ENTREPRISE OÙ TU COMBATS LES CAUCHEMARS DES AUTRES POUR UN TARIF FIXE? OU UN PAIEMENT MENSUEL? OH! OU UN ABONNEMENT!
ARRÊTE, JAKE. AVANT QUE QUELQU'UN T'ENTENDE.
ET PUIS APRÈS?

TU CROIS QUE LES GENS SE SOUCIENT DE TES PROBLÈMES ALORS QU'ILS ONT LES LEURS? CE BUS EST PLEIN DE GENS BIZARRES!
HÉ!
SÉRIEUSEMENT, TAIS-TOI!

TU N'AS PAS À T'EN FAIRE. REGARDE BIEN.
FRANCESCO? IL EST ALLERGIQUE **À TOUT.** IL A PROBABLEMENT UNE COMBINAISON DE PROTECTION SOUS SON CHANDAIL, LE PAUVRE.
KOFF
ET GENESIS, LA REINE DE BEAUTÉ? ELLE S'EST **DÉJÀ** FAIT INJECTER DU BOTOX ET **PORTE** UN DIADÈME, SAPRISTI!
SANS OUBLIER **GABE LE GAMER!** CE GARS EST À UNE MISSION D'ATTEINDRE LE NIVEAU PSYCHOSE!
ET GRIFFIN, **M. SPORTIF?** CE TYPE **RÊVE EN COULEURS.** BONNE CHANCE POUR GAGNER LE SUPER BOWL, **LE CINGLÉ!**

ET ENFIN, BLAKE, QUI A PEUR DU NOIR. SÉRIEUSEMENT, REGARDE-LE QUAND ON PASSERA SOUS LE PONT.
AAAAAAH!
TU VOIS?
OH.

CROIS-MOI, TU N'ES PAS PLUS BIZARRE QUE N'IMPORTE QUI D'AUTRE DANS CE BUS.
MERCI.
DRIIING!

SALUT, BEN. QUE DESSINES-TU?
QUOI?! OH, JE...
C'EST CE QU'ON VA VOIR!
HÉ!

OOOOOOH! TU DESSINES TA PETITE COPINE?
RENDS-LUI SON DESSIN, GRIFFIN, OU JE TE BOTTE LE DERRIÈRE COMME AU SOCCER!
DU CALME, DU CALME! VOILÀ TON CHEF D'ŒUVRE, LÉONONO DE VINCI! HA, HA!
ALORS, QU'EST CE QUE TU DESSINAIS?
OH, HEU... RIEN. JUSTE UNE AFFICHE DE FILM... LA TIENNE.
UNE AFFICHE DE FILM?

UNE AFFICHE QUI MONTRE CE QUE TU AS DE SPÉCIAL. TOUT LE MONDE EN MÉRITE UNE.
JE SUIS ALLERGIQUE AUX ROSES.
OH. JE VAIS ARRANGER ÇA.
ON SE VOIT TOUJOURS APRÈS L'ÉCOLE?
HEIN?

LE TUTORAT? LEWIS CARROLL? TU TE SOUVIENS?
OH, OUI!
JE SUIS POURRI...
HEU, EN ANGLAIS!
JE TE REJOINS À LA BIBLIOTHÈQUE. QUINZE HEURES PILE.
ATTENTION, LES MATHLÈTES!
CLASSE DE M. RACINE BB-8
IL EST TEMPS DE TONIFIER VOS QUADRI... LATÈRES! HA, HA! LA COMPRENEZ-VOUS?
OH! CE TYPE ME FAIT VRAIMENT PEUR.

KAYLEE
15h02
Je suis là!
KAYLEE
17h07
Je suis là!
C'était bien auj @ 15 h?
Allé à la salle de bain.
Je t'ai manquée?
Ça va?

J'AI RATÉ KAYLEE ET LE BUS.
PFFF. SUPER.

LE LENDEMAIN.
DRIIIIING!
N'oubliez pas
a² + b² = c²
BOOOONJOUR, CHERS ÉLÈVES DE MATHS BAVARDS!!!
BAVARDS COMME DES « PI »! HI, HI! VOUS PIGEZ? OH, BEN. TU DOIS TE TROUVER UN AUTRE PARTENAIRE. KAYLEE EST ABSENTE.
SAVEZ-VOUS CE QU'ELLE A, M. RACINE?
JE NE SAIS PAS. SA MÈRE A APPELÉ POUR DIRE QU'ELLE ÉTAIT MALADE.

MARDI
3
MERCREDI
4
JEUDI
5
Ça va?
Tu n'as rien manqué aujourd'hui à part les blagues de M. Racine.
Aurais-tu déménagé?
Veux-tu que je t'apporte tes devoirs?
Inquiet.
VENDREDI
6

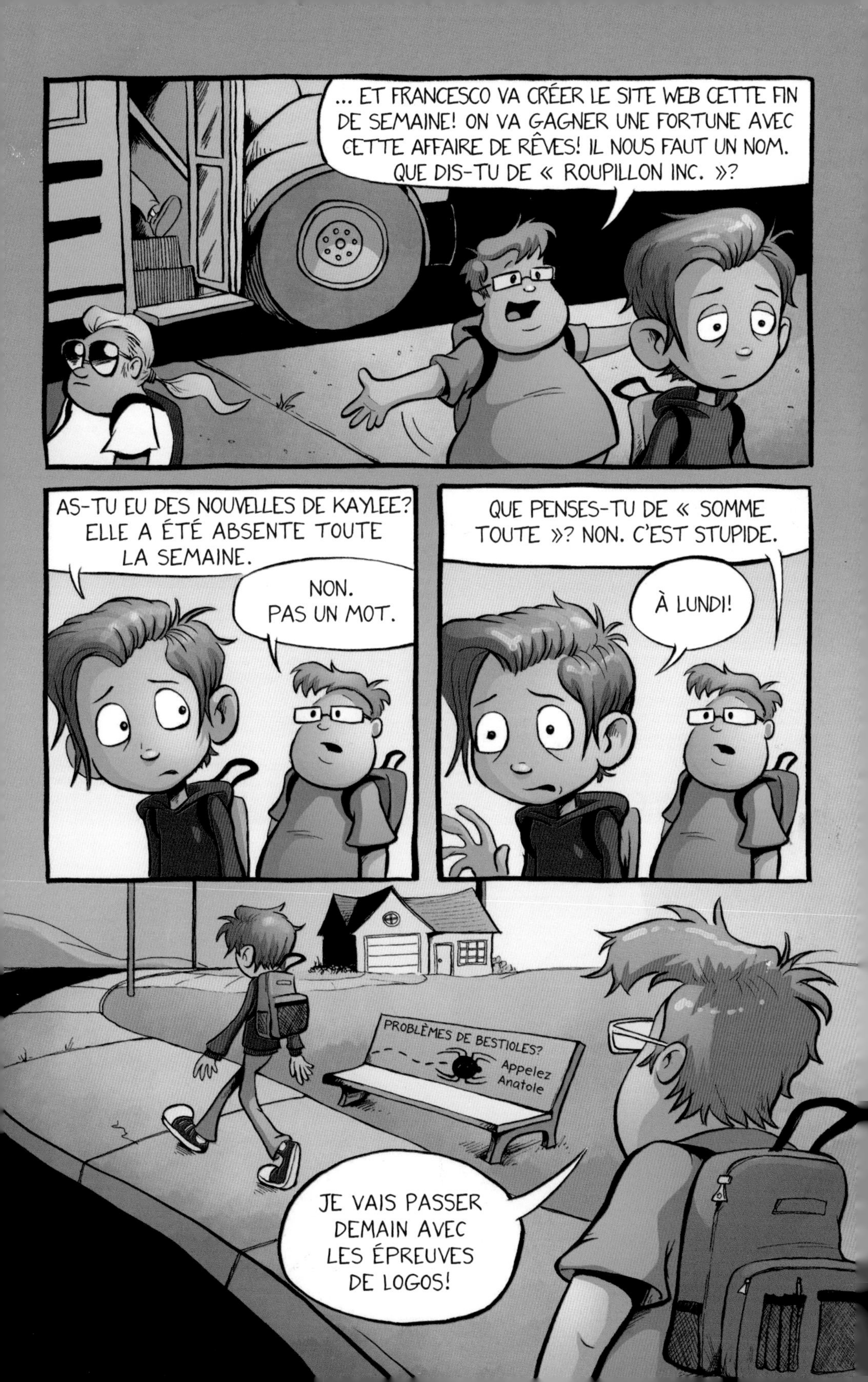
... ET FRANCESCO VA CRÉER LE SITE WEB CETTE FIN DE SEMAINE! ON VA GAGNER UNE FORTUNE AVEC CETTE AFFAIRE DE RÊVES! IL NOUS FAUT UN NOM. QUE DIS-TU DE « ROUPILLON INC. »?
AS-TU EU DES NOUVELLES DE KAYLEE? ELLE A ÉTÉ ABSENTE TOUTE LA SEMAINE.
NON. PAS UN MOT.
QUE PENSES-TU DE « SOMME TOUTE »? NON. C'EST STUPIDE.
À LUNDI!
PROBLÈMES DE BESTIOLES?
Appelez Anatole
JE VAIS PASSER DEMAIN AVEC LES ÉPREUVES DE LOGOS!

NOUS Y VOILÀ.
ÉCOUTE, BEN. JE SAIS QUE TU NE VOULAIS PAS VENIR, MAIS...
ALLONS-Y, QU'ON EN FINISSE.

FOUICH
FOUICH
BONJOUR! PUIS-JE VOUS AIDER?
OUI, NOUS AVONS RENDEZ-VOUS À 17 H AVEC LE DR ALEXSON.

JE SUIS
LE DR ALEXSON!
APPELEZ-MOI AIDEN.
VOUS DEVEZ ÊTRE
LA MÈRE DE BEN.
OUI. JOYCE.
ET TU DOIS ÊTRE
BEN. ENCHANTÉ!
DIS-MOI, S'EST-ON DÉJÀ RENCONTRÉS?
HEU, OUI. IL Y A CINQ SECONDES.

CE VISAGE. JE **CONNAIS** CE VISAGE. JE TE CONNAIS.
JE NE VOUS AI JAMAIS VU DE MA VIE.
ET VOUS COMMENCEZ À ME FAIRE PEUR.
J'AURAIS JURÉ QUE...
BOF! TANT PIS! MON ESPRIT DOIT ME JOUER DES TOURS.
NEUF TASSES DE CAFÉ ME FONT CET EFFET! VENEZ, JE VAIS VOUS FAIRE VISITER!
« LE MEILLEUR SPÉCIALISTE », HEIN, MAMAN?

CET ENDROIT EST INCROYABLE!
MERCI! C'EST L'UNE DES CLINIQUES DU SOMMEIL LES PLUS RÉPUTÉES DU PAYS! NOUS SOMMES LES SEULS À TRAITER LE TROUBLE DU SOMMEIL LE PLUS RARE QUI SOIT.
NOUS L'APPELONS SOMMEIL SOUS-PARADOXAL OU DE STADE CINQ. CES PATIENTS SONT EMPRISONNÉS DANS UN ÉTAT DE RÊVE PERMANENT. NOUS LES TRAITONS ICI, DANS NOTRE SALLE Z DERNIER CRI.
Z
OH, LES PAUVRES. VOUS NE POUVEZ PAS LES RÉVEILLER?
MALHEUREUSEMENT NON. NOUS NE...

Z

QU'EST-CE...
CE SONT LES ENFANTS DE MES RÊVES! MAIS C'EST IMPOSSIBLE!
OH, NON...

KAYLEE!
NON, NON, NON...

ALLONS, KAYLEE.
RÉVEILLE-TOI.
S'IL TE
PLAÎT?
TIENS BON,
KAYLEE.

JE GARDE ESPOIR. UN JOUR, NOUS TROUVERONS UN MOYEN DE RÉVEILLER LES PATIENTS DE LA SALLE Z.
BON, ALLONS-Y. IL EST TEMPS DE DORMIR!
VENEZ DONC! JE SUIS **SUPER** FATIGUÉ. JE BÂILLE. VOUS VOYEZ? **OUAAAH!**
JE N'AI JAMAIS VU QUELQU'UN D'AUSSI STIMULÉ PAR L'IDÉE DE DORMIR.
C'EST UNE PREMIÈRE POUR MOI AUSSI.
J'ATTENDS. **ALLEZ, HOP!**

PLUS TARD...
VOILÀ!
TU ES BRANCHÉ. CONFORTABLE?
PAS MAL.
ESSAIE DE TE DÉTENDRE. JE SERAI DANS LA SALLE D'OBSERVATION SI TU AS BESOIN DE MOI.
HÉ, DOC! QUESTION STUPIDE : VOUS NE PENSEZ PAS QUE JE POURRAIS FINIR COMME...
COMME LES PATIENTS DE LA SALLE Z? BEN, C'EST UN TROUBLE DU SOMMEIL TRÈS RARE.

TOUT IRA **BIEN**. FAIS-MOI **CONFIANCE.**
FAIS DE BEAUX RÊVES!
CLIC!
TIENS BON, KAYLEE.
ZZZZZZZZZZZZ

BEN ENTRE DANS LE SOMMEIL **PARADOXAL.**
OH, DÉJÀ?
C'ÉTAIT RAPIDE.
SLEUURP
CE GARÇON ME SEMBLE FAMILIER. TU NE TROUVES PAS?
À UNE HEURE DU MATIN, **TOUS** LES ENFANTS SE RESSEMBLENT.
JE L'AI DÉJÀ VU QUELQUE PART, JANICE. JE TE LE ***DIS.***

Z
SALLE D'OBSERVATION Q

ATTENDS UNE MINUTE.
ENTREPÔT
FICHIERS
STACY
VIO
MAR
11 ANS
ANS
BINGO.

FSSSH!
ZAP!

REGARDE, JANICE! CE SONT LES DESSINS DES ENFANTS QUE NOUS AVONS TRAITÉS POUR DES CAUCHEMARS CES DERNIÈRES ANNÉES. ILS ONT TOUS DESSINÉ...
DOCTEUR...

FIP
SHOUUUM
QUE SE PASSE-T-IL?
ON DIRAIT UNE PANNE DE COURANT.
OH, C'EST REVENU.
MERCI, JANICE. VÉRIFIE LES RELEVÉS DE BEN, D'ACCORD?

DOCTEUR! REGARDEZ! SES ONDES CÉRÉBRALES!
SOUS-PARADOXAL? C'EST IMPOSSIBLE!
BEN, RÉVEILLE-TOI, MON GARS!
ALLONS, MON PETIT. REVIENS.
DOCTEUR, QU'ALLONS-NOUS FAIRE?
RÉVEILLE SA MÈRE. ET PRÉPARE UN LIT DANS LA SALLE Z.

QUE SE PASSE-T-IL DONC??
MAIS **LA SALLE Z DÉBORDE** AVEC TOUS CES NOUVEAUX PATIENTS.

AAAAAAAAAAAAAAH
JE VAIS MOURIR. JE VAIS MOURIR. JE VAIS...
POUF!

OH, MERCI, MONSIEUR. HEU, ESPÈCE DE CORBEAU GÉANT?
?

FWOUF
ATTENDS!
ATTENDS!
ATTENDS!
JE VAIS MOURIR!
JE VAIS MOURIR!
JE VAIS MOURIR!

FWAM!
OUILLE.
QUE S'EST-IL PASSÉ?
ALLÔ!
Y A-T-IL QUEL...
UN INSTANT.

OH, NON.
À L'ATTAQUE!

ÇA RECOMMENCE!

POURRAIT-ON EN DISCUTER?!

LAISSEZ-MOI PARTIR!

SHOUM!
POUMF!

SHOUM!

AAAAAH
UNE GROTTE!

ME VOILÀ!
CRAC
BOUF!
POC!
AÏE.
B-BEN?

BLAKE? C'EST TOI??
HEUREUSEMENT QUE TU ES LÀ! FAIS-MOI SORTIR D'ICI, ET VITE! ILS SONT TOUT AUTOUR DE NOUS!
QUI ÇA? IL N'Y A PERSONNE À PART TOI ET MOI.
TES YEUX NE SONT PAS ENCORE ADAPTÉS À L'OBSCURITÉ. CROIS-MOI! PARTONS!
CALME-TOI. JE VAIS UTILISER LA LUMIÈRE DE MON TÉLÉPHONE ET...

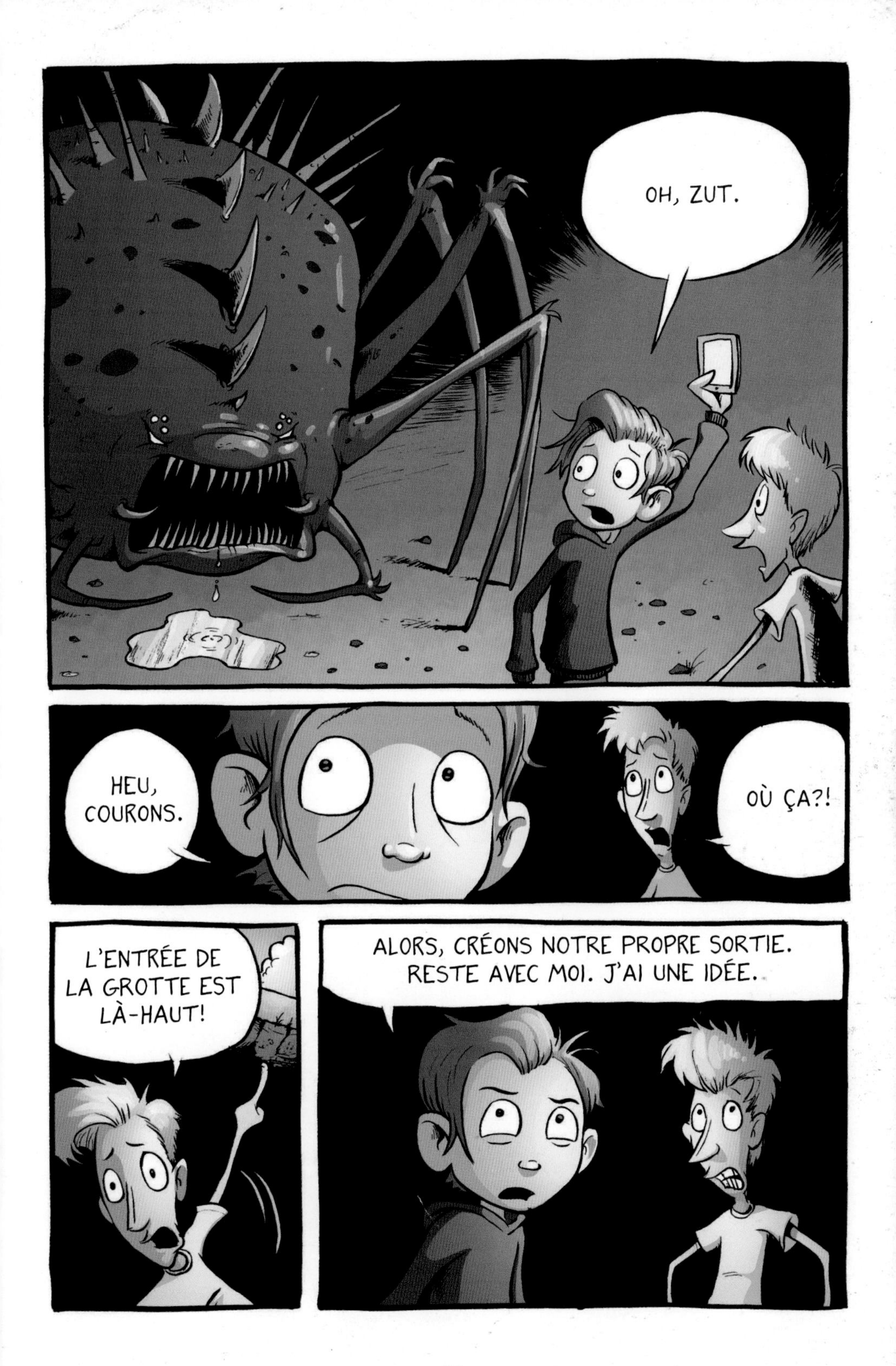
OH, ZUT.
HEU, COURONS.
OÙ ÇA?!
L'ENTRÉE DE LA GROTTE EST LÀ-HAUT!
ALORS, CRÉONS NOTRE PROPRE SORTIE. RESTE AVEC MOI. J'AI UNE IDÉE.

HÉ, L'AFFREUX!
MORDS ÇA!
C'EST ÇA, TON PLAN?
?
SCRIII!
SCRIII!

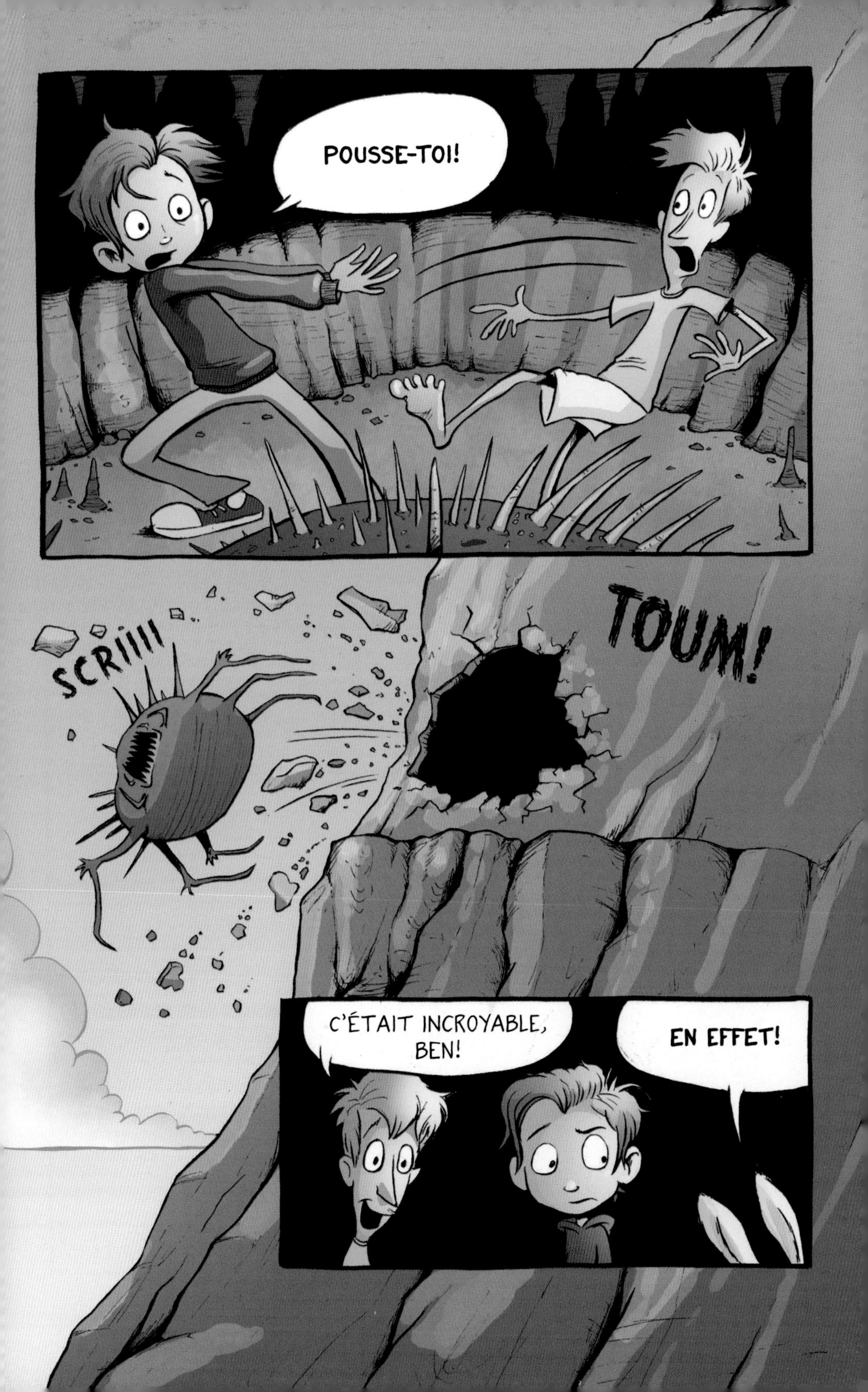
POUSSE-TOI!
SCRIIII
TOUM!
C'ÉTAIT INCROYABLE, BEN!
EN EFFET!

QUI EST CE LAPIN, BEN?
ENCORE TOI? ÉTAIS-TU DANS LA GROTTE TOUT CE TEMPS-LÀ?
OUI! IMPRESSIONNANT, BEN.
BON, LE TRAVAIL M'ATTEND.
OH, NON! TU NE T'EN IRAS PAS, CETTE FOIS!
À LUNDI.

JE T'AI EU!
HÉ, QUE FAIS-TU?
BON, JEANNOT! IL FAUT QU'ON PARLE! JE TE VOIS ICI DEPUIS DES MOIS...
BEL ATTERRISSAGE!
DOUMF!

N'ESSAIE PAS DE CHANGER DE SUJET! TU ES LA CLÉ DE TOUT ÇA, JE LE SAIS. QUI ES-TU? QUE SE PASSE-T-IL? ET POURQUOI RESPIRES-TU SI FORT?
HEIN?
SCRIIIIIIIII

FOUM!
SCRIIIII!
IL Y A AUSSI CE TRUC. QUEL EST CE RAYON D'ÉNERGIE QUE JE PEUX PROJETER? QUE SUIS-JE, UNE BOBINE TESLA?
DÉTENDS-TOI. TU COMMENCES JUSTE À MANIFESTER DES TRAITS DE GARDIEN DES RÊVES. C'EST PARFAITEMENT NORMAL.
FWOUMP

GARDIEN DES... QUI ES-TU?
JE M'APPELLE LEWIS. MOI AUSSI JE SUIS UN GARDIEN DES RÊVES.
TU VOIS, BEN, QUAND LES GENS DORMENT, ILS QUITTENT LE MONDE ÉVEILLÉ ET VIENNENT ICI, DANS LE MONDE DES RÊVES. C'EST NOTRE RÔLE DE LES PROTÉGER.
ATTENDS, QUE VEUX-TU DIRE, « NOTRE RÔLE »?
TU ES UN GARDIEN DES RÊVES, TOI AUSSI! TU AS LE DON! JE LE SAIS. JE T'OBSERVE DEPUIS LONGTEMPS.
C'EST PLUTÔT **SINISTRE.** EST-CE POUR ÇA QUE JE T'AI VU DANS CES RÊVES BIZARRES DES DERNIERS MOIS? EST-CE QUE C'ÉTAIT UN GENRE DE TEST?

OUI, EN QUELQUE SORTE. NOUS SOMMES TRÈS IMPRESSIONNÉS, BEN. MAINTENANT, IL EST TEMPS DE TE METTRE AU TRAVAIL!

ÉCOUTE, MERCI, MAIS JE N'AI PAS VRAIMENT LE TEMPS. JE DOIS TROUVER MON AMIE KAYLEE ET L'AIDER À SORTIR D'ICI. ET PUIS... J'AI UN EXAMEN DE MATHS LA SEMAINE PROCHAINE.

C'EST DE ÇA QUE JE PARLE, BEN. AIDER TON AMIE.

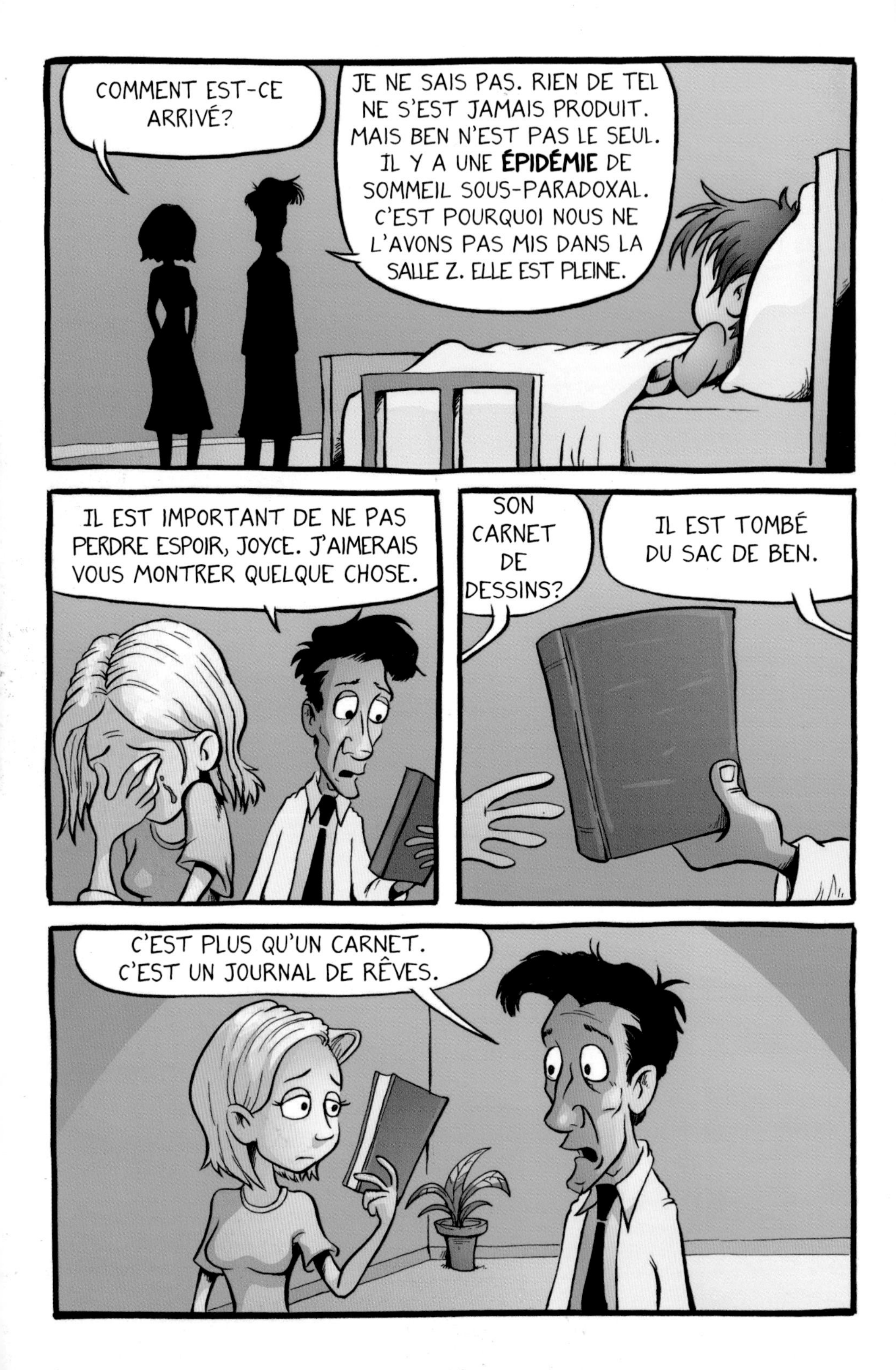
COMMENT EST-CE ARRIVÉ?
JE NE SAIS PAS. RIEN DE TEL NE S'EST JAMAIS PRODUIT. MAIS BEN N'EST PAS LE SEUL. IL Y A UNE **ÉPIDÉMIE** DE SOMMEIL SOUS-PARADOXAL. C'EST POURQUOI NOUS NE L'AVONS PAS MIS DANS LA SALLE Z. ELLE EST PLEINE.
IL EST IMPORTANT DE NE PAS PERDRE ESPOIR, JOYCE. J'AIMERAIS VOUS MONTRER QUELQUE CHOSE.
SON CARNET DE DESSINS?
IL EST TOMBÉ DU SAC DE BEN.
C'EST PLUS QU'UN CARNET. C'EST UN JOURNAL DE RÊVES.

REGARDEZ.
RÊVE Nº 19
À L'AIDE!
JE NE COMPRENDS PAS...
VOICI LES PHOTOS DE DEUX PATIENTS DE LA SALLE Z.
MALCOLM ET CHLOÉ.

REGARDEZ LES DATES.
ON DIRAIT QUE BEN RÊVE DE CES ENFANTS DEPUIS LEUR ARRIVÉE DANS CET HÔPITAL.
LE PLUS ÉTRANGE, C'EST QUE J'AI DES DOSSIERS PLEINS DE DESSINS FAITS PAR D'AUTRES PATIENTS TRAITÉS ICI CES DERNIÈRES ANNÉES. CHACUN D'EUX A DESSINÉ BEN.
TOUT EST RELIÉ.
ET BEN EST LA CLÉ DU MYSTÈRE.
JE NE COMPRENDS RIEN DU TOUT.
TOC, TOC!
ALLÔ, ALLÔ!
BONJOUR, JAKE.
MERCI D'ÊTRE VENU.

PAS DE PROBLÈME! **N'IMPORTE QUOI** POUR MON AMI!
JE SUIS SÛRE QUE BEN APPRÉCIERAIT.
NE VOUS INQUIÉTEZ PAS, MME MAXWELL. BEN VA BIEN ALLER. MON COPAIN **MAÎTRISE** LA SITUATION.
HEU, MERCI, JAKE. C'EST TRÈS... ÉTRANGE.

ÉCOUTE, BEN.
JE NE SAIS PAS SI TU M'ENTENDS, MAIS SI TU PEUX... JE SUIS DÉSOLÉ.
JE VEUX TE MONTRER QUELQUES LOGOS.
M. LAPIERRE DIT QU'ON PEUT JUSTE UTILISER LE PHOTOCOPIEUR LE MARDI.
ALORS, SI TU POUVAIS LES APPROUVER AVANT...

JE VAIS... JUSTE LES LAISSER ICI. REVIENS-NOUS VITE, MON GARS.
J'AI PEUR, AIDEN.
EH BIEN, JAKE SEMBLE UN PEU BIZARRE. MAIS JE SUIS CERTAIN QU'IL A DE BONNES INTENTIONS.

SALLE D'OBSERVATION Q
JE PARLE DE BEN!!
OH, OUI, BIEN SÛR.
NE VOUS INQUIÉTEZ PAS, JOYCE.
NOUS TROUVERONS UNE SOLUTION.
JE VOUS LE PROMETS.

AILLEURS...

PLUS TU AIDERAS DE GENS, PLUS TU TE DÉCOUVRIRAS D'AUTRES POUVOIRS. TU COMPRENDS?
COMME QUAND ON MONTE DE NIVEAU DANS UN JEU VIDÉO?
DANGER
JE... HEU, OUI? JE CROIS?

QUEL GENRE
DE CHOSES VAIS-JE
AFFRONTER ICI?
EH BIEN...
GRWARLG!!

POF
CLAC!
IIIIK!
SUPER.
CETTE CRÉATURE, PAR EXEMPLE. ET D'AUTRES MONSTRES, COMME DES BOULES DE MORVE GÉANTES, DES GAUFRES COLÉRIQUES, DES TRUCS DU GENRE.
BLOUP

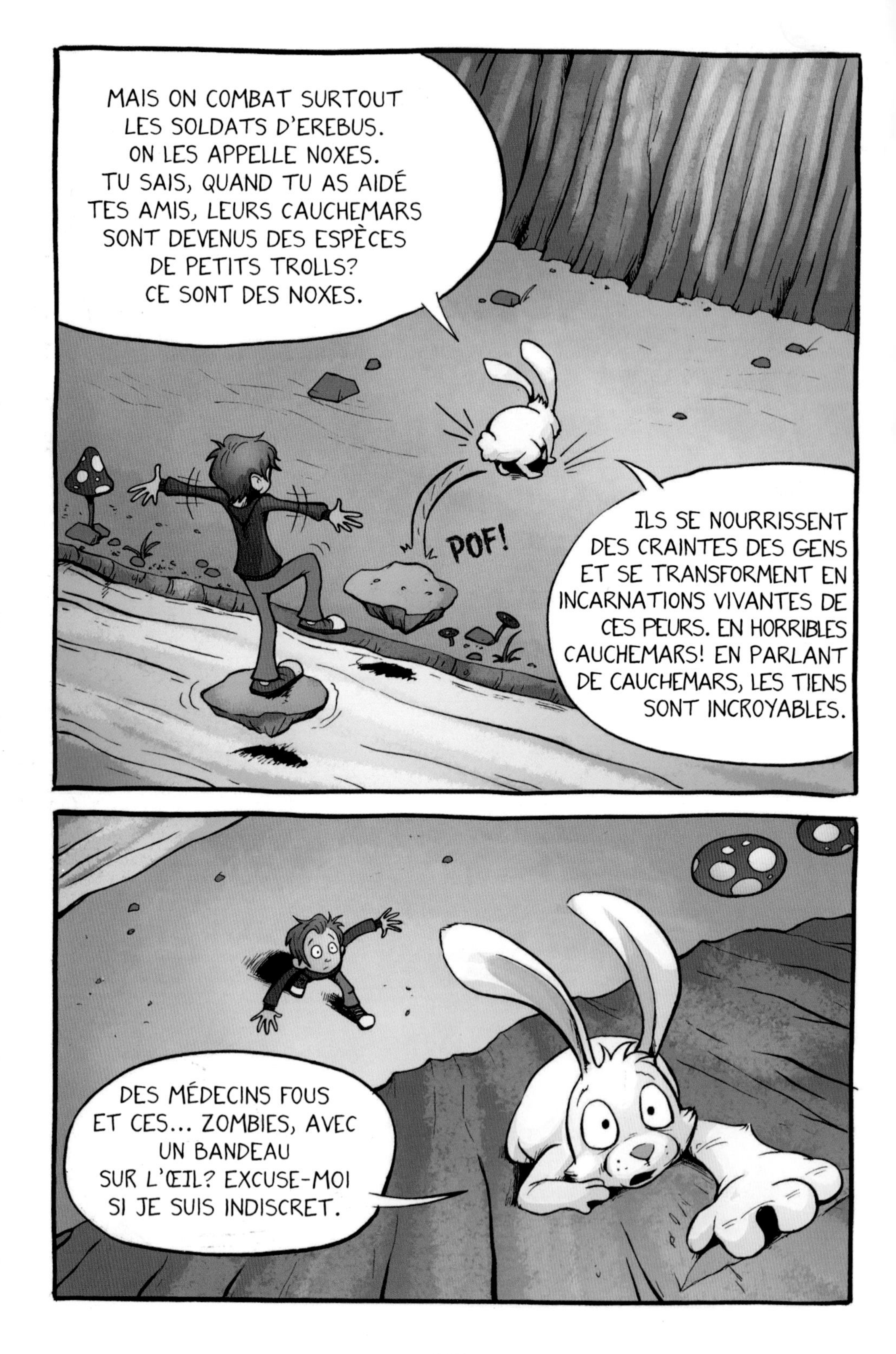
MAIS ON COMBAT SURTOUT LES SOLDATS D'EREBUS. ON LES APPELLE NOXES. TU SAIS, QUAND TU AS AIDÉ TES AMIS, LEURS CAUCHEMARS SONT DEVENUS DES ESPÈCES DE PETITS TROLLS? CE SONT DES NOXES.
POF!
ILS SE NOURRISSENT DES CRAINTES DES GENS ET SE TRANSFORMENT EN INCARNATIONS VIVANTES DE CES PEURS. EN HORRIBLES CAUCHEMARS! EN PARLANT DE CAUCHEMARS, LES TIENS SONT INCROYABLES.
DES MÉDECINS FOUS ET CES... ZOMBIES, AVEC UN BANDEAU SUR L'ŒIL? EXCUSE-MOI SI JE SUIS INDISCRET.

JE DÉTESTE LES MÉDECINS ET... J'IGNORE QUI SONT CES TYPES AU BANDEAU. DES CRITIQUES D'ART ZOMBIES?
CE SONT PEUT-ÊTRE... NON, IMPOSSIBLE. HUM, C'EST INTÉRESSANT.
CES JOURS-CI, J'AI PEUR DE TOUT. TU AS MENTIONNÉ UN « EREBUS ». QU'EST-CE QUE C'EST?
AH. EH BIEN, DISONS QUE C'EST L'UN DES ÊTRES LES PLUS MALÉFIQUES DE CE MONDE. AFFREUX ET CINGLÉ. IL ATTIRE LES GENS DANS LA FORÊT DES CAUCHEMARS ET UTILISE LEURS PEURS CONTRE EUX. POUR LES PARALYSER.
WAP

UNE FOIS QU'IL LES CONTRÔLE, IL SE NOURRIT DE LEUR ÉNERGIE. COMME S'ILS ÉTAIENT DES PILES. PLUS IL PREND DE GENS, PLUS IL DEVIENT PUISSANT.
EREBUS EST CELUI QU'IL FAUT VAINCRE POUR SAUVER TA PETITE AMIE KAYLEE.
CE N'EST PAS MA PETITE AMIE.
IL L'A EMMENÉE LÀ-BAS, DANS LA FORÊT DES CAUCHEMARS.
HEU, LEWIS? CE N'EST PAS QUE JE DOUTE DE TES HABILETÉS, MAIS NE DEVRAIT-ON PAS Y ALLER AVEC TOUTE UNE ÉQUIPE DE GARDIENS DES RÊVES?
IL N'Y EN A PLUS, BEN.

IL Y A TRÈS LONGTEMPS, UNE GUERRE A OPPOSÉ LES GARDIENS DES RÊVES ET LES ÊTRES MALÉFIQUES DE CE MONDE. CETTE GUERRE AVAIT COMMENCÉ À CAUSE D'UN GARDIEN DES RÊVES MALFAISANT NOMMÉ PHOBETOR, ALIAS LE **SEIGNEUR DES CAUCHEMARS.**

LE SEIGNEUR DES CAUCHEMARS ÉTAIT OBSÉDÉ PAR LA DOMINATION.
CELA LE **HANTAIT.** IL A TRAHI LES GARDIENS DES RÊVES ET S'EST ASSOCIÉ AUX FORCES DU MAL. SON OBJECTIF ÉTAIT DE CONQUÉRIR LE MONDE DES RÊVES. IL A CONVAINCU EREBUS ET D'AUTRES CRÉATURES DIABOLIQUES DE COMBATTRE AVEC LUI.
ILS ONT PRESQUE GAGNÉ.

FINALEMENT, LES FORCES DU MAL ONT ÉTÉ VAINCUES, MAIS À UN TERRIBLE PRIX. LE SEIGNEUR DES CAUCHEMARS A ÉTÉ DÉTRUIT, MAIS LES GARDIENS DES RÊVES ONT TOUS ÉTÉ DÉCIMÉS, Y COMPRIS MON FILS.
OH... JE SUIS DÉSOLÉ.
IL Y A LONGTEMPS DE ÇA.
ATTENDS. PUISQUE LE SEIGNEUR DES CAUCHEMARS EST HORS D'ÉTAT DE NUIRE, QU'EST-IL ARRIVÉ À EREBUS?

MALGRÉ MES BLESSURES, J'AI UTILISÉ LE PEU DE POUVOIRS QUI ME RESTAIENT POUR L'EMPRISONNER DANS LA FORÊT.

QUOI?

NOOON!
SCRIIIIII

JE PEUX LE GARDER **À L'INTÉRIEUR,** MAIS EN VIEILLISSANT, MES POUVOIRS DIMINUENT. JE NE PEUX PLUS EMPRISONNER SES **CRÉATURES,** NI EMPÊCHER D'AUTRES PERSONNES D'ENTRER DANS LA FORÊT. IL LE SAIT ET ATTIRE SES VICTIMES VERS LUI.
JE NE SAIS PAS COMBIEN DE GENS IL A EMPRISONNÉS. C'EST POURQUOI NOUS DEVONS Y ENTRER.
JE SUIS DÉJÀ ALLÉ DANS LA FORÊT. JE CROIS AVOIR VU CE TYPE. IL EST ÉNORME! ON NE POURRA PAS LE VAINCRE À DEUX! JE NE FAIS PAS LE POIDS, LEWIS!
TU ES LE GARDIEN DES RÊVES LE PLUS TALENTUEUX QUE JE CONNAISSE. CROIS EN TOI. TU PEUX Y ARRIVER.
DE PLUS, J'AI UN PLAN. FAIS-MOI CONFIANCE.
BON, D'ACCORD. ALLONS-Y.

YO! MME GÉO!
FOUMP
FOUMP
FOUMP
POP!
LEWIS! LE SOUS-SOL RAPPORTE QUE LES **NOXES** SE DÉPLACENT. C'EST **MAINTENANT** OU **JAMAIS.**
HEU, QUI EST-CE?
UNE AMIE. MERCI, MME GÉO.
SOIS PRUDENT ET N'OUBLIE PAS DE DONNER LA PIERRE AU JEUNE.

AH OUI!
TIENS, BEN.
QU'EST-CE QUE C'EST?
LA PIERRE DE SOMNI.
C'EST UN OUTIL TRÈS PUISSANT POUR LES GARDIENS DES RÊVES. ELLE CONFÈRE DIFFÉRENTS POUVOIRS SELON LE GARDIEN. TU LES DÉCOUVRIRAS AVEC LE TEMPS.
BIZARRE!

J'ACCEPTE VOLONTIERS TOUTE L'AIDE QU'ON PEUT M'OFFRIR!
MERCI, LEWIS.
DÉTENDS-TOI, BEN. ON SERA REVENUS EN UN RIEN DE TEMPS.
GWARG!

LÂCHEZ-MOI!

HEU, LEWIS?
BON, ÇA PRENDRA PEUT-ÊTRE UN PEU PLUS LONGTEMPS.

NE PERDS PAS LA TÊTE,
LE JEUNE!
AÏE!
FACILE À DIRE!
AAAH!

FOUAM!
OUVRE L'ŒIL, MON GARÇON. VOIS-TU TA PETITE AMIE?
ELLE N'EST PAS... OUBLIE ÇA. OUI, ELLE EST À CÔTÉ DE... OH, NON!

LES CHOSES SE COMPLIQUENT. VOIS-TU MALCOLM ET CHLOÉ?
QUI?
LES ENFANTS DONT TU AS RÊVÉ RÉCEMMENT. ÉCOUTE, MON GARS...

QUAND LE TEMPS SERA VENU, FAIS-LES SORTIR. SURTOUT MALCOLM ET CHLOÉ. COMPRIS?
POURQUOI? QUI SONT-ILS? COMMENT SAURAI-JE QUAND...
SILENCE!
TIENS, TIENS, TIENS... ÇA FAISAIT LONGTEMPS...

JE T'AVAIS À PEINE RECONNU. COMMENT T'A-T-IL APPELÉ? LEWIS? ... BELLES OREILLES!
TOUM!
LEWIS, DE QUOI PARLE-T-IL?
COMMENT AS-TU DEVINÉ?
VOYONS, RIEN NE M'ÉCHAPPE. MÊME EMPRISONNÉ ICI. MERCI BIEN, EN PASSANT.
DONC, TU SAIS POURQUOI ON EST ICI. LAISSE PARTIR LES ENFANTS ET ON TE FICHERA LA PAIX.

HA, HA, HA! TU OSES ME MENACER SUR MON PROPRE TERRAIN? C'EST MOI QUI DONNE LES ORDRES ICI!
BON, JE T'AURAI AVERTI.
CRAC
TAC
TU M'AS BRISÉ UNE DENT!
ET QUE VAS-TU FAIRE, GROS BALOURD??

GRRR!
CRAC
MAINTENANT, BEN!

VAS-Y!
BON. **COMMENT** VAIS-JE M'Y PRENDRE?

ALLEZ!

CES SATANÉES BRANCHES SONT TROP SOLIDES!

IL DOIT Y AVOIR UN MOYEN...

HUM... JE PEUX TOUJOURS ESSAYER.

ZAP

ZAP!
KAYLEE! RÉVEILLE-TOI! IL FAUT SORTIR D'ICI!
B-BEN? QUE SE PASSE-T-IL?
BRAVO, MON GARS! SORS-LES D'ICI!
MALCOLM, CHLOÉ, SUIVEZ BEN HORS DE LA FORÊT.
HEU, ON TE CONNAÎT?

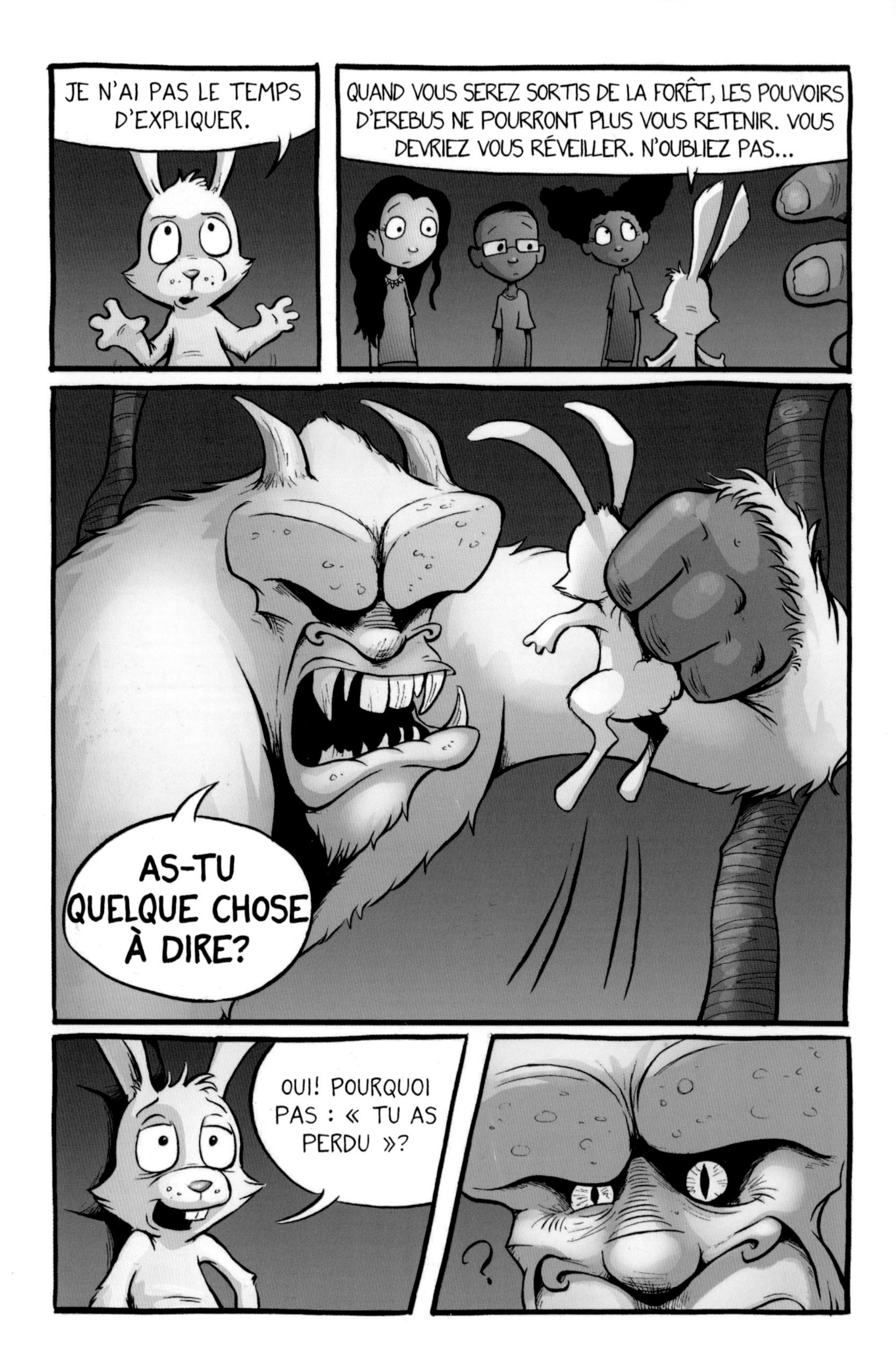
JE N'AI PAS LE TEMPS D'EXPLIQUER.
QUAND VOUS SEREZ SORTIS DE LA FORÊT, LES POUVOIRS D'EREBUS NE POURRONT PLUS VOUS RETENIR. VOUS DEVRIEZ VOUS RÉVEILLER. N'OUBLIEZ PAS...
AS-TU QUELQUE CHOSE À DIRE?
OUI! POURQUOI PAS : « TU AS PERDU »?
?

HEIN?
HEIN? BEN, QU'EST-CE QUI SE PASSE?
TU ES PRISE AU PIÈGE DANS UN CAUCHEMAR.
QUOI?!

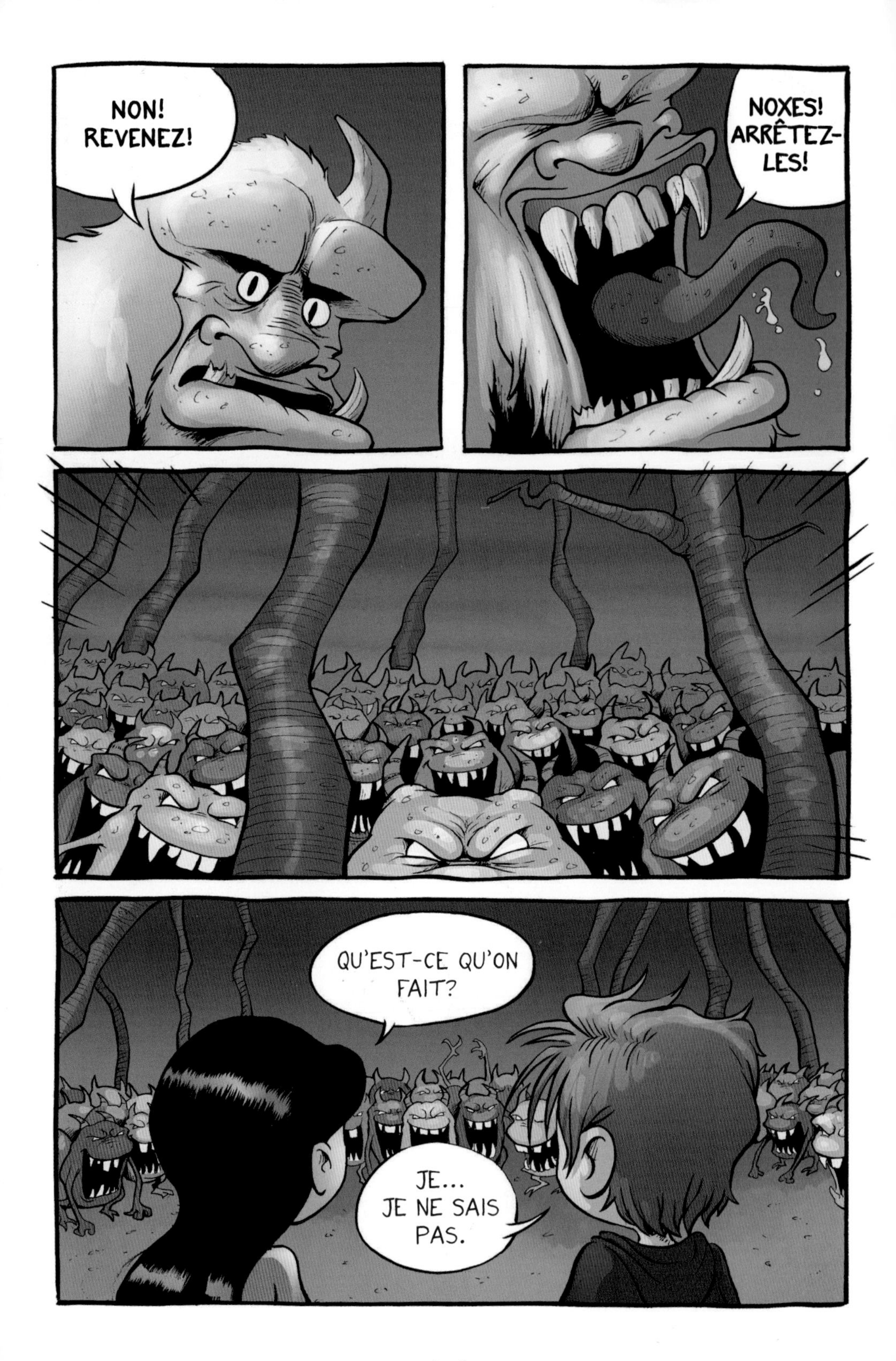
NON! REVENEZ!
NOXES! ARRÊTEZ-LES!
QU'EST-CE QU'ON FAIT?
JE... JE NE SAIS PAS.

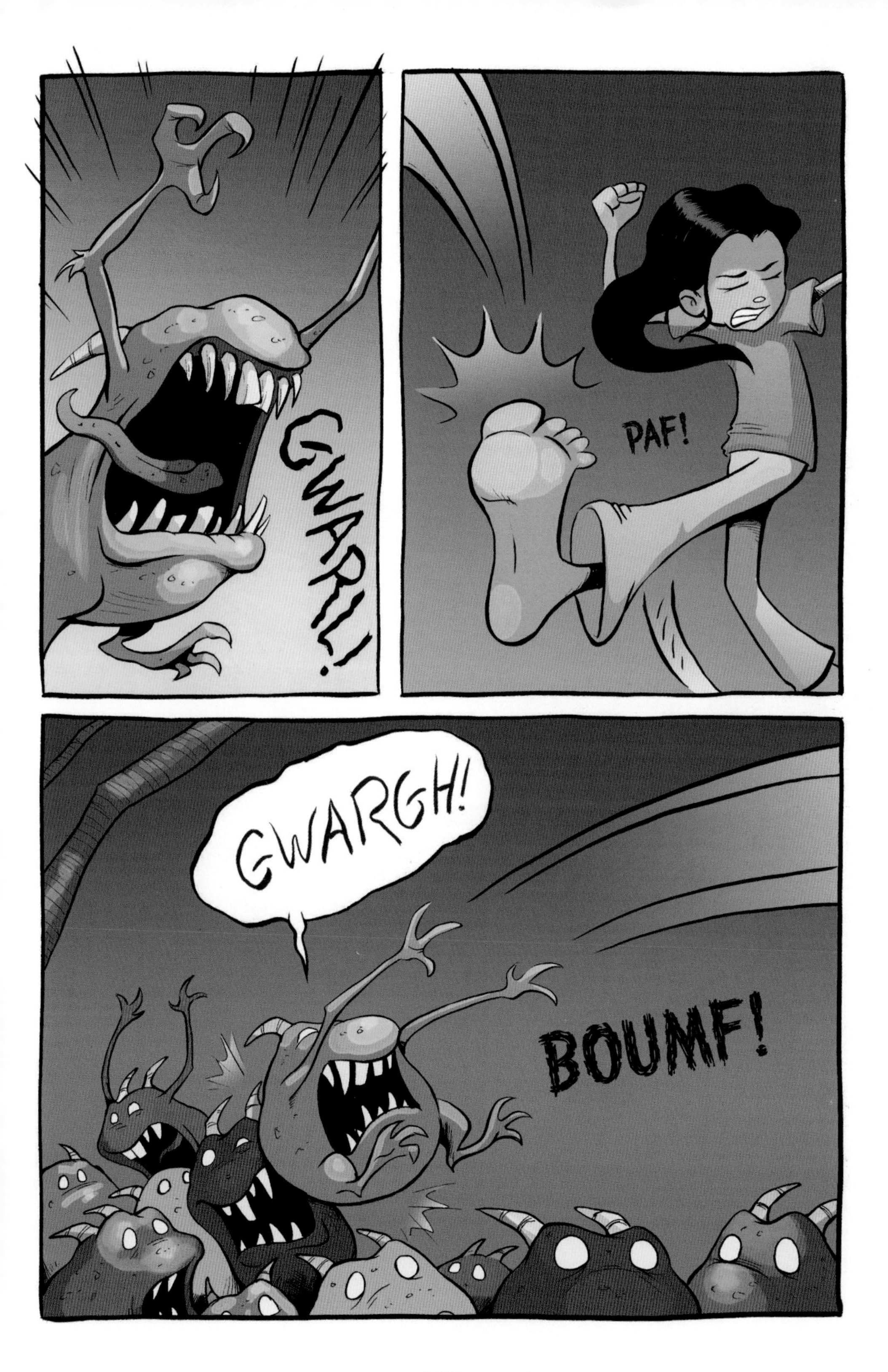
GWARRL!
PAF!
GWARGH!
BOUMF!

JE SUIS CAPITAINE DE L'ÉQUIPE DE SOCCER.
ÇA TOMBE À PIC!
MUH ROH
BUUUUT!
PAWF!

DÉSOLÉ D'AVOIR GÂCHÉ TON REPAS, VOLEUR D'ÉNERGIE.
PENSES-TU QUE ÇA ME DÉRANGE DE PERDRE QUELQUES « PILES »? JE PEUX TOUJOURS TROUVER D'AUTRES ENFANTS.
ALORS, QUE VEUX-TU?
LA PIERRE DE **SOMNI**, LE VIEUX. ALLEZ, DONNE!
QUOI?! TU N'ES PAS UN GARDIEN. ÇA NE TE SERVIRAIT À RIEN. POURQUOI LA VEUX-TU?
TAIS-TOI ET DONNE-LA-MOI.
DÉSOLÉ. JE NE L'AI PLUS.

MENTEUR!
DROUM!
JE DEVRAI ME CONTENTER DE TE TUER, DANS CE CAS!

ILS SONT TROP NOMBREUX! QUE FAIT-ON?
JE RÉFLÉCHIS.
YO, BEN!
GABE LE GAMER?!
ÉCARTEZ-VOUS!

OOOOOH...
KA-FOUM!!
GABE, CHASSEUR DE TROLLS, À VOTRE SERVICE!

BRAVO, GABE!
DIS DONC, EST-CE QUE **TOUS** LES ÉLÈVES DE NOTRE ÉCOLE FONT UN CAUCHEMAR CE SOIR?
UN CAUCHEMAR? C'EST PLUTÔT MON GENRE DE **RÊVE!** BON, OÙ SONT CES TROLLS?
NOUVELLE MISSION, GABE...
TU **DOIS** SORTIR TOUT LE MONDE D'ICI. MAINTENANT!
HEU, ATTENDS UNE SECONDE...
C'EST UN ORDRE, SOLDAT!!
HEU, OUI, CAPITAINE!

INCROYABLE. ÇA A MARCHÉ.
VA AVEC LUI, KAYLEE.
QUAND TU SERAS SORTIE DE LA FORÊT, TU DEVRAIS TE RÉVEILLER.
C'EST LA MÊME CHOSE POUR VOUS!
TU NE VIENS PAS?
JE DOIS RETOURNER AIDER LEWIS.
C'EST UN RÊVE, HEIN? EST-CE QUE JE VAIS M'EN SOUVENIR?
JE NE SAIS PAS.

AU CAS OÙ J'OUBLIERAIS...
MOUUUUAH!
MERCI.
HEU... DE RIEN.
ALLONS-Y, CAPITAINE.
AU REVOIR!

QUAND TU SERAS MORT, TES POUVOIRS QUI NOUS RETIENNENT ICI S'EFFACERONT ET JE POURRAI PARTIR. JE TROUVERAI MOI-MÊME LA PIERRE DE SOMNI. ADIEU, VIEILLARD!

SHOUM
CRAC
FOUMF!

DÉSOLÉ, JE T'AI
FAIT MAL?

SORS ET BATS-TOI, **LÂCHE!**
DE TOUTE ÉVIDENCE, TU N'AS PAS **PEUR** DE MOI.

ALORS, DE QUOI AS-TU PEUR...
COMMENT CONNAIS-TU MON...
QU-QUE FAIS-TU LÀ?
BENJAMIN MAXWELL? PEUT-ÊTRE DE...
IL JOUE AVEC TON ESPRIT, BEN. TU DOIS RÉSISTER!!!

C'EST JUSTE UN RÊVE.
C'EST JUSTE UN...

NON?
EH BIEN,
ALORS...

BEN?
C'EST TOI?
MAMAN?
AIDE-MOI!
JE T'EN PRIE!
ARRÊTE ÇA!
IL JOUE AVEC TON ESPRIT. RÉSISTE, BEN!
AH, JE VOIS. TU AS PEUR DE...

TOI-MÊME.
IMPOSSIBLE.
QU'Y A-T-IL, BEN?
TU AS PEUR?
SHAP!

ZR

C'EST PARCE QU'AU FOND, TU SAIS QUE TU N'ES **RIEN.** JUSTE UN PETIT GARÇON EFFRAYÉ. HEIN, BEN? TU FAIS **SEMBLANT** D'ÊTRE QUELQU'UN QUE TU N'ES PAS! UN SAUVEUR? UN GARDIEN DES RÊVES? TU N'ES **RIEN**!!!

AK!

zZZzCH!
FAIBLE ET PATHÉTIQUE.
ARRÊTE!
TOUT COMME TON PÈRE!
ZzZCH!

ÇA SUFFIT!!
TOUM!

CRAC!

TOUM

CRAC

FIOU.
PLOP

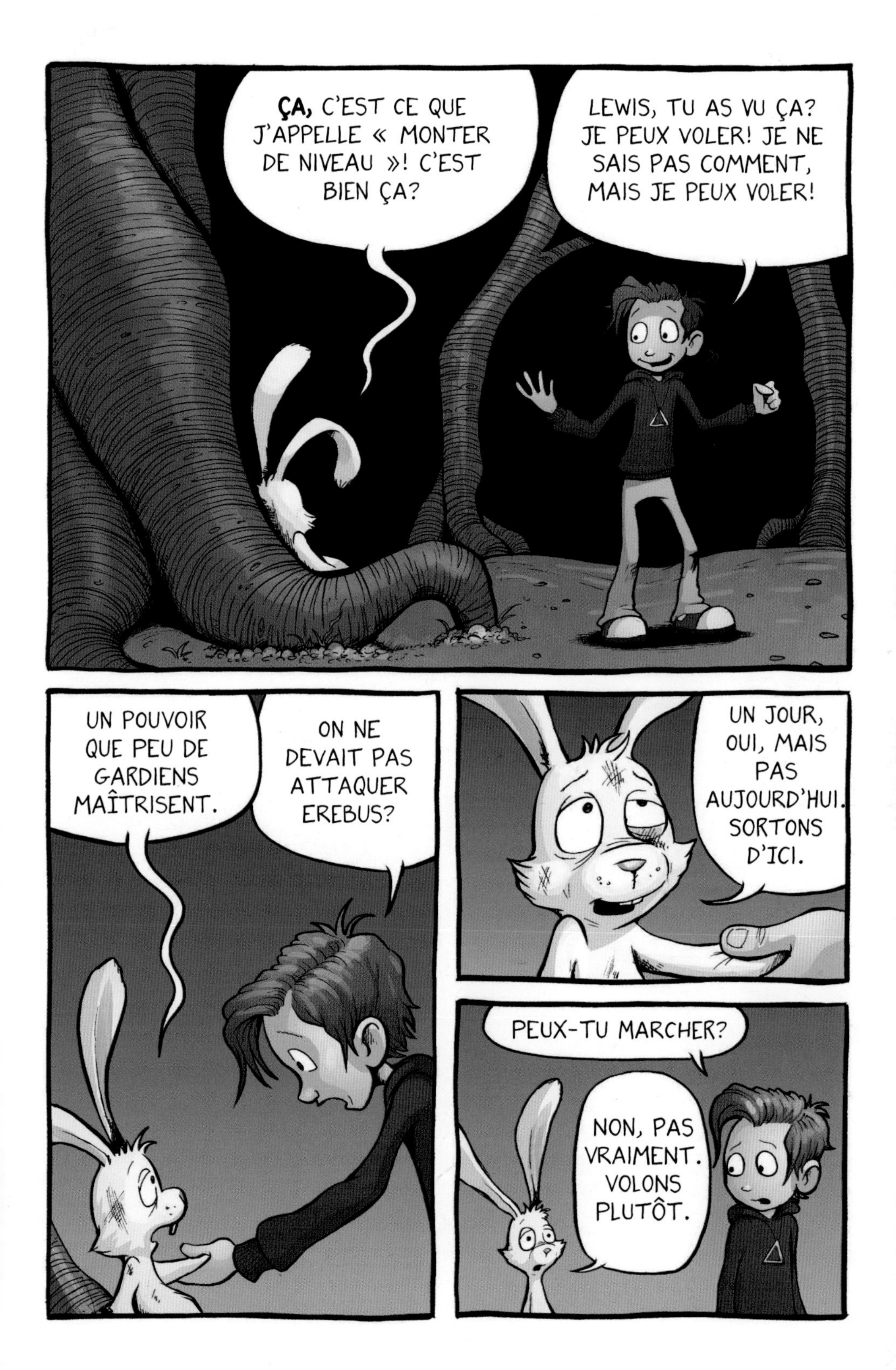
ÇA, C'EST CE QUE J'APPELLE « MONTER DE NIVEAU »! C'EST BIEN ÇA?
LEWIS, TU AS VU ÇA? JE PEUX VOLER! JE NE SAIS PAS COMMENT, MAIS JE PEUX VOLER!
UN POUVOIR QUE PEU DE GARDIENS MAÎTRISENT.
ON NE DEVAIT PAS ATTAQUER EREBUS?
UN JOUR, OUI, MAIS PAS AUJOURD'HUI. SORTONS D'ICI.
PEUX-TU MARCHER?
NON, PAS VRAIMENT. VOLONS PLUTÔT.

BIEN JOUÉ...
SHOOM!

GARDIEN DES RÊVES!

MERCI DE M'AVOIR PRIS SOUS **TON AILE!**
AH! **TRÈS DRÔLE.**
BEL ATTERRISSAGE!
OOMF!

À BIENTÔT.
ATTENDS. J'AI UNE QUESTION AVANT QUE TU PARTES.
COMMENT VAIS-JE ME RÉVEILLER?
OOOOOH, C'EST VRAI. TU NE PEUX PAS TE RÉVEILLER PARCE QUE J'AI UTILISÉ LA PIERRE DE SOMNI POUR T'AMENER ICI. POUR M'AIDER À LIBÉRER LES ENFANTS! SEULE LA PIERRE TE PERMET DE TE RÉVEILLER.
CETTE PIERRE A DE NOMBREUX POUVOIRS. SON POUVOIR PRINCIPAL PERMET À CELUI QUI LA PORTE D'ALLER ET VENIR D'UN MONDE À L'AUTRE.

TU M'AS AMENÉ ICI?
TU NE ME L'AVAIS PAS DIT.
AH NON? OUPS.
NON. EN FAIT, IL Y A PLUSIEURS CHOSES QUE TU NE M'AS PAS DITES. QUI SONT CES ENFANTS? POURQUOI EREBUS AVAIT-IL DU MAL À TE RECONNAÎTRE? QUE SE PASSE-T-IL AU JUSTE?
IL Y A LONGTEMPS, JE TRAVAILLAIS POUR UNE AGENCE GOUVERNEMENTALE SECRÈTE, **LE BUREAU DE LA GUERRE DU RÊVE.** SA MISSION ÉTAIT DE PROTÉGER LE MONDE RÉEL DES MENACES PROVENANT DU MONDE DES RÊVES. LORSQUE LE SEIGNEUR DES CAUCHEMARS ET EREBUS ONT VOULU DOMINER LE MONDE, LE BGR S'EST JOINT AUX GARDIENS DES RÊVES POUR LES ARRÊTER. MON COLLÈGUE ET AMI ÉTAIT LE PÈRE DE MALCOLM ET CHLOÉ.

SANS VOULOIR T'OFFENSER, COMMENT UN LAPIN PEUT-IL TRAVAILLER POUR LE GOUVERNEMENT?
QUOI? AH, OUI! MON DÉGUISEMENT. ATTENDS.
GRAOUM
ALLEZ, TOUT LE MONDE! C'EST L'HEURE!
POP!

FWOUF!

MAINTENANT?
OUI.
ENSEMBLE.
OUMF!

TADAM!
QUE... QUE SE PASSE-T-IL? HÉ, JE VOUS CONNAIS. VOUS ÊTES LE VIEUX DE LA SALLE Z!

JE... JE NE COMPRENDS PAS. QUI SONT CES GENS?
PERMETS-MOI DE TE PRÉSENTER LES DERNIERS GARDIENS DES RÊVES.
CETTE DAME EST MME GÉOMY, PROTECTRICE DU MONDE SOUTERRAIN.
SALUT!
CE JEUNE HOMME EST M. BEACON, GARDIEN DU CIEL.
« JEUNE » HOMME! PFFF!

VOUS ÊTES DES GARDIENS, VOUS AUSSI?
OUI.
MERCI DE M'AVOIR AIDÉ À SECOURIR LES ENFANTS...
OH, MON GARÇON. NOS POUVOIRS ÉTAIENT REQUIS AILLEURS.
OÙ?
ÇA NE TE CONCERNE PAS!
BON, BON...

IL EST CHARMANT.
TU DEVRAIS VOIR COMMENT IL EST SOUS SA FORME D'OISEAU.
JUSTEMENT, C'EST QUOI, CETTE TRANSFORMATION EN ANIMAL?
CE SONT NOS DÉGUISEMENTS, MON PETIT.
NOUS LES AVONS ADOPTÉS APRÈS LA GUERRE, POUR NOTRE PROTECTION.
IL Y A DES CRÉATURES ENCORE **PIRES** QU'EREBUS, MON GARÇON.

ET COMME L'HEURE EST À LA **FRANCHISE,** MON NOM N'EST PAS VRAIMENT LEWIS.
QUOI?
C'EST, HEU... BEN. BEN MAXWELL.
NOOOOON! C'EST **MOI** BEN MAXWELL.
LE TROISIÈME. JE SUIS BEN MAXWELL **PREMIER.**
ATTENDEZ... VOUS ÊTES MON...

GRAND-PÈRE.

HAN HAN HAN!
HAN HAN HAN!
JE N'EN REVIENS PAS!
TU ES MON GRAND-PÈRE?
OUI, BEN.
?

POURQUOI N'AS-TU RIEN DIT?
M'AURAIS-TU CRU SI JE L'AVAIS FAIT?
COMMENT? POURQUOI? J'AI **TELLEMENT** DE QUESTIONS...
TU AURAS DES RÉPONSES UN AUTRE JOUR.
QUOI? JE NE PEUX PAS PARTIR **MAINTENANT!**
TU ES RESTÉ ICI TROP LONGTEMPS. TA PAUVRE MÈRE EN A ASSEZ ENDURÉ. PLUS QUE TU NE LE PENSES.
TU DOIS RENTRER CHEZ TOI.
JE NE PEUX PAS TE LAISSER ICI!

REVIENS AVEC MOI.
JE... NE PEUX PAS.
POURQUOI?
PARCE QUE LE POUVOIR QUI GARDE LA CRÉATURE DU MAL DANS LA FORÊT SERAIT ROMPU. **C'EST ÉVIDENT.**
IL A RAISON, BEN. MES POUVOIRS NE FONCTIONNENT QUE SI J'EXISTE **ICI.**
C'EST POURQUOI MON CORPS EST À LA CLINIQUE DU SOMMEIL. IL DEVAIT ÊTRE DANS UN LIEU SÛR POUR QUE JE RESTE ICI ET QUE MES POUVOIRS PERSISTENT.

IL Y A DIX ANS,
JE SUIS ENTRÉ DANS CE MONDE
POUR NE JAMAIS EN REVENIR.
HI, HI...
MAIS JE NE SUIS PAS VRAIMENT
PARTI PARCE QUE...
TU SAIS COMMENT ME
RETROUVER.

TU M'AS DIT QUE TON FILS ÉTAIT MORT DURANT LA GUERRE. ÉTAIT-CE MON PÈRE?
OUI.
JE NE ME SOUVIENS PAS DE LUI. MAMAN N'EN PARLE JAMAIS, NI DE TOI. PEUX-TU ME DIRE QUELQUE CHOSE SUR LUI?
C'ÉTAIT UN HOMME BON. LE PLUS GRAND GARDIEN QUE J'AIE JAMAIS CONNU... JUSQU'À TOI, BEN. IL VOUS AIMAIT, TA MÈRE ET TOI. N'EN DOUTE JAMAIS.
MERCI, PAPI.

D'ACCORD, MAIS OUBLIE CETTE HISTOIRE DE « PAPI ». IL EST PRÉFÉRABLE QUE TU M'APPELLES LEWIS.
POURQUOI?
J'AI TROP D'ENNEMIS ICI. JE FERAIS MIEUX DE RESTER INCOGNITO, TU COMPRENDS?
OUI.
VAS-Y MAINTENANT.

JE T'AIME, BEN.
MOI AUSSI, « LEWIS ».

IL VA DÉCOUVRIR LA VÉRITÉ SUR SON PÈRE UN JOUR. POURQUOI NE PAS TOUT LUI DIRE MAINTENANT, UNE FOIS POUR TOUTES?
IL Y A DES PROBLÈMES PLUS URGENTS, BEACON.
L'OBJECTIF D'EREBUS ÉTAIT DE M'ENLEVER LA PIERRE DE SOMNI, COMME JE LE PENSAIS.
MAIS POURQUOI? ELLE NE LUI SERVIRAIT À RIEN!
ELLE FONCTIONNE SEULEMENT POUR CEUX QUI EXISTENT AUTANT DANS LE MONDE DES RÊVES QUE LE MONDE ÉVEILLÉ. LES GARDIENS DES RÊVES!
RESTONS VIGILANTS.

DONC, IL A UTILISÉ MALCOLM ET CHLOÉ COMME APPÂTS? POUR T'ATTIRER DANS LA FORÊT?
NON. IL SAVAIT QUE J'Y SERAIS ALLÉ POUR N'IMPORTE QUI. IL LES A PRIS POUR ENVOYER UN MESSAGE. LA GUERRE EST IMMINENTE.
EST-CE UNE BONNE IDÉE DE PRÉPARER BEN À ÊTRE NOTRE CHEF? C'EST JUSTE UN ENFANT.
TU NE DOIS PAS TE TROMPER, CETTE FOIS.
JE NE ME TROMPERAI PAS.

AHHHH!
BEN?
C'ÉTAIT TOUT UN RÊVE!

OH, BEN!
TU ES REVENU!
AH, MAMAN.
OÙ CROIS-TU DONC QUE J'ÉTAIS PARTI?
DOCTEUR! IL EST RÉVEILLÉ! DOCTEUR!
ZZZZZZZZ

AU CŒUR DE LA FORÊT...

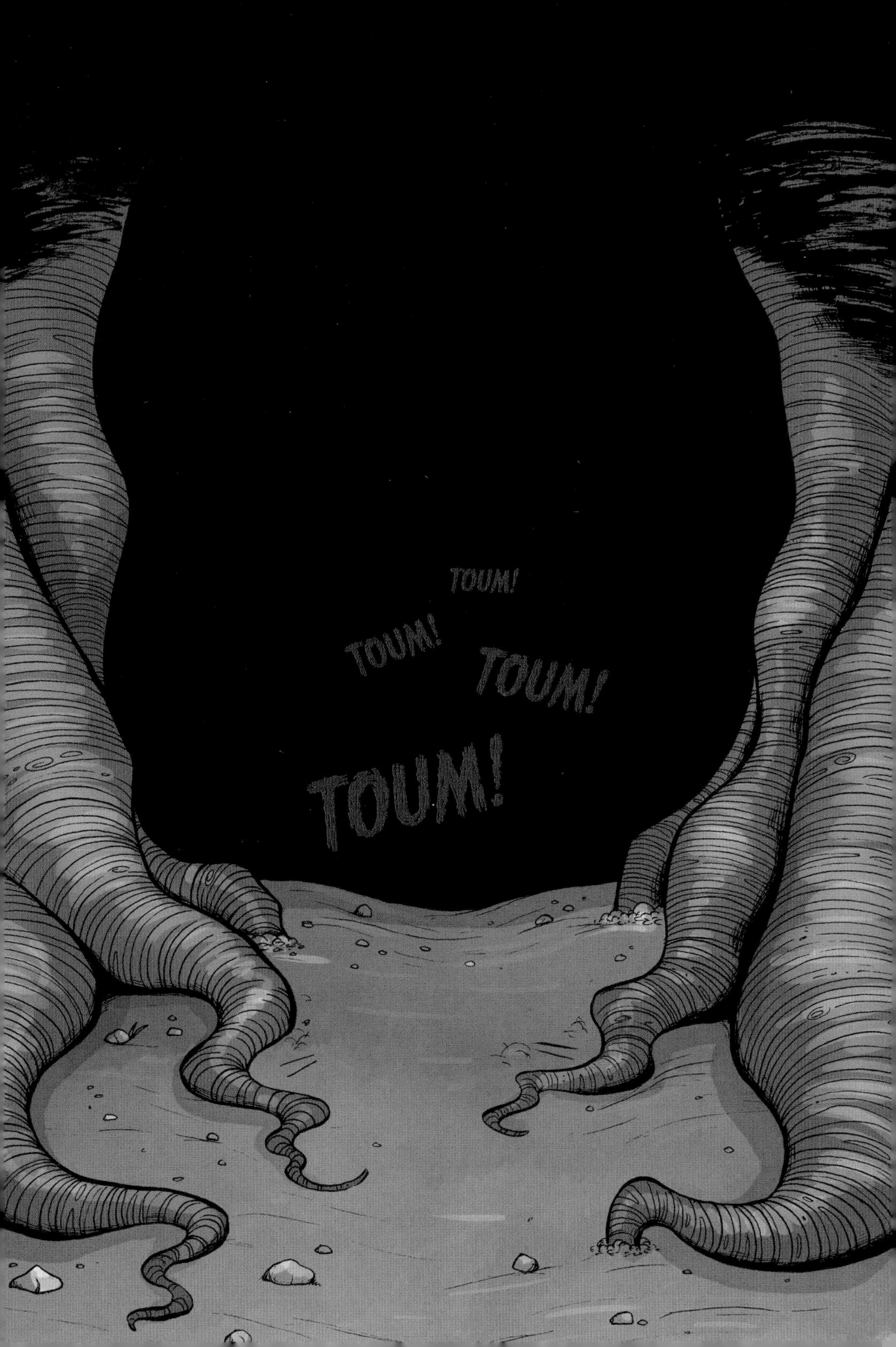

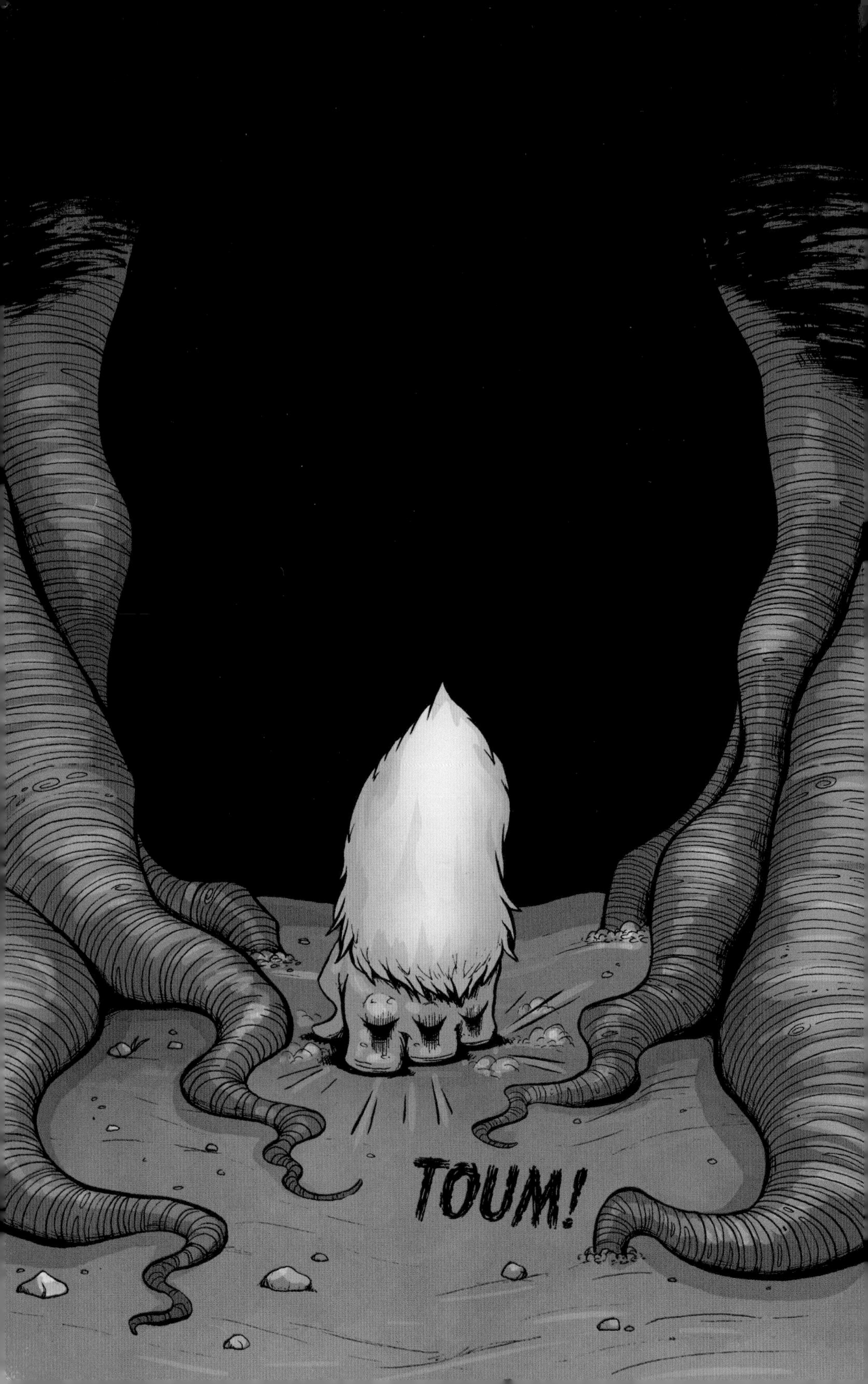
TOUM!

J'AI ÉCHOUÉ, SEIGNEUR.
TOUM!
TA SEULE TÂCHE ÉTAIT D'ENLEVER LA PIERRE DE SOMNI AU VIEIL HOMME ET DE ME LA DONNER.
TU ME DÉÇOIS.

DÉSOLÉ.

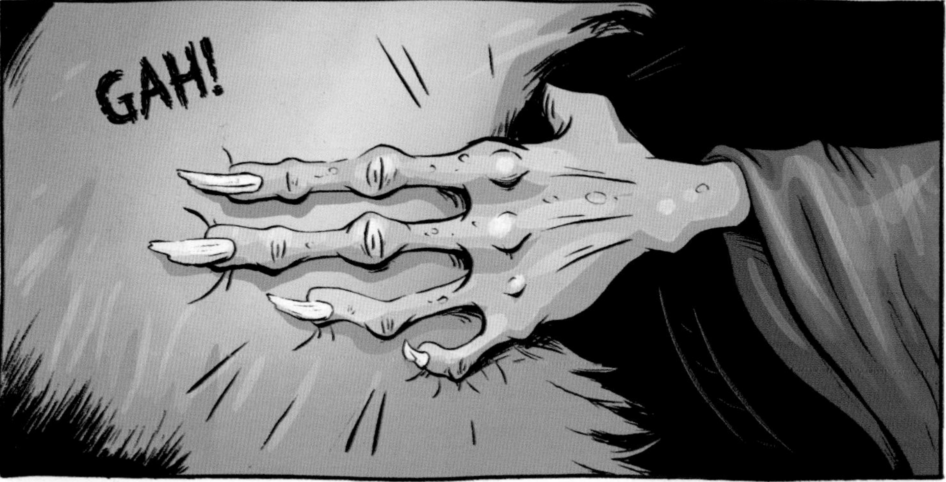
GAH!

DÉSOLÉ? TU ES DÉSOLÉ?
VRAIMENT DÉSOLÉ.
POUF

JE SUIS PRISONNIER ICI, DANS CETTE PRISON D'OMBRES DEPUIS LA FIN DE LA GUERRE. J'AI TRAVAILLÉ TROP LONGTEMPS SUR CE PLAN D'ÉVASION POUR QUE TU LE GÂCHES, EREBUS!

MON CORPS EST QUELQUE PART DANS LE MONDE ÉVEILLÉ, INCAPABLE DE SE LEVER! LES POUVOIRS DU VIEIL HOMME ME GARDENT ICI, AVEC TOI. LA PIERRE DE SOMNI ÉTAIT MON SEUL ESPOIR!

MAIS, SEIGNEUR! LE VIEIL HOMME N'AVAIT PLUS LA PIERRE!

IL L'A DONNÉE À UN GARÇON APPELÉ BEN.
INTÉRESSANT.
SEIGNEUR, IL DOIT Y AVOIR UN MOYEN DE S'EMPARER DE LA PIERRE!
ES-TU SÛR QUE C'EST LE BON ÉTAGE?

JE NE ME RAPPELLE PAS AVOIR VU UNE FORÊT AU QUATRIÈME ÉTAGE ET...
OH, BONJOUR, INFIRMIÈRES. VOUS N'AURIEZ PAS VU BEN, PAR HASARD?

J'AI DÛ M'ENDORMIR AVANT QU'IL AIT SIGNÉ LES FORMULAIRES.
SAVEZ-VOUS OÙ IL EST?
SUIS-JE DANS LE BON IMMEUBLE?
HI, HI, HI!

BUS
HÉ, CAPITAINE SOMMEIL! TU ES REVENU?
OH, JAKE. MA MÈRE DIT QUE TU ES PASSÉ À LA CLINIQUE. MERCI.
PAS DE PROBLÈME. DIS DONC, AS-TU EU LE TEMPS DE REGARDER LES LOGOS?
QUOI?

J'AI LES DÉTAILS DE L'APPLICATION À TE MONTRER. ET ON A BESOIN D'UN NOM. DORMEUR & CO? RONFLETTE INC.?
UNE APPLICATION? UN NOM? ÉCOUTE, JAKE, CE PROJET...
SALUT, BEN!
KAYLEE! TU ES REVENUE!
OUI, J'AI EU... HUM, UNE « ABSENCE » DURANT QUELQUES JOURS. JE NE ME SOUVIENS PAS DE GRAND-CHOSE.
C'EST ÉTRANGE. JE CROIS QUE J'AI RÊVÉ DE TOI.
VRAIMENT? MOI AUSSI.

TIENS! J'AI TERMINÉ TON AFFICHE CE MATIN. REGARDE!
TU AS REMPLACÉ LES ROSES PAR DES MARGUERITES!
MERCI.
TIENS. JE T'AI FAIT UNE AFFICHE, MOI AUSSI.
QUOI? JE NE SAVAIS PAS QUE TU DESSINAIS!
PAS VRAIMENT. J'EN AI JUSTE RESSENTI LE BESOIN.

C'EST SUPER!
MERCI.
JE NE VOULAIS PAS TE LA DONNER AVANT D'AVOIR TROUVÉ UN TITRE.
ET C'EST QUOI?
JE VAIS L'INTITULER « GARDIEN DES RÊVES ». ÇA SONNE BIEN.
BUS
ON ÉTUDIE TOUJOURS ENSEMBLE APRÈS L'ÉCOLE?

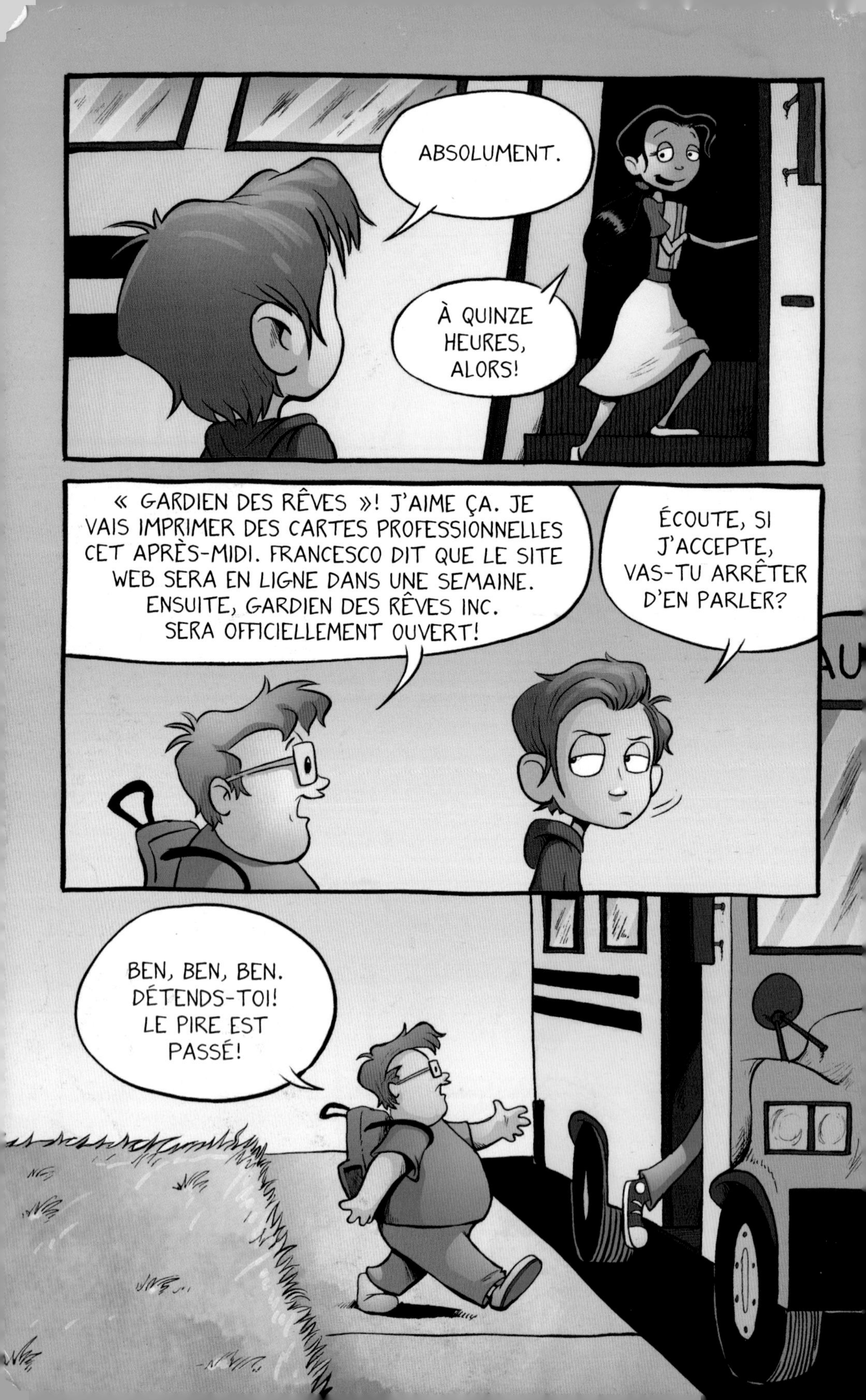
ABSOLUMENT.
À QUINZE HEURES, ALORS!
« GARDIEN DES RÊVES »! J'AIME ÇA. JE VAIS IMPRIMER DES CARTES PROFESSIONNELLES CET APRÈS-MIDI. FRANCESCO DIT QUE LE SITE WEB SERA EN LIGNE DANS UNE SEMAINE. ENSUITE, GARDIEN DES RÊVES INC. SERA OFFICIELLEMENT OUVERT!
ÉCOUTE, SI J'ACCEPTE, VAS-TU ARRÊTER D'EN PARLER?
BEN, BEN, BEN. DÉTENDS-TOI! LE PIRE EST PASSÉ!

ARRÊT
ATTENTION
FAIS-MOI CONFIANCE, BEN. TOUT VA BIEN ALLER À PARTIR DE MAINTENANT.
AUTOBUS SCOLAIRE
ARRÊT
012404
8954
À SUIVRE...

GREG GRUNBERG est connu pour ses rôles dans les séries primées *Heroes*, *Alias* et *Felicity*, et plus récemment dans *Star Wars : Le réveil de la force*. Le gardien des rêves est sa première BD et s'inspire des rêves décrits par son fils Ben. Greg vit à Los Angeles avec sa femme et ses trois fils.

LUCAS TURNBLOOM est un bédéiste et illustrateur connu pour sa BD *Imagine THIS*. Il a contribué à la collection de BD *Dark Horse's Axe Cop* et a été publié dans *USA Today* et *TIME.com*. Lucas vit à San Diego avec sa femme et ses deux fils.

GUY MAJOR est coloriste depuis 1995. Il a travaillé pour Marvel et DC Comics. Il a mis en couleurs la célèbre BD *Dogs of War* de Sheila Keenan et Nathan Fox. Guy vit à Oakland, en Californie, avec sa femme et sa fille adepte de taekwondo.